GOODBYE BERLIN

Collection animée par Soazig Le Bail, assistée de Claire Beltier.

La traduction de cet ouvrage a été subventionnée par le Goethe-Institut,
financé par le ministère des Affaires étrangères allemand.

GOETHE
INSTITUT

Titre original : Tschick
Copyright © 2010 Rowohlt Berlin Verlag GmbH, Berlin
Publié avec l'accord de Rowohlt Verlag GmbH, Reinbek bei Hamburg

© Éditions Thierry Magnier, 2012
ISBN 978-2-36474-037-2

Couverture : Delphine Dupuy
Maquette intérieure : Amandine Chambosse

GOOD BYE BERLIN

WOLFGANG HERRNDORF

TRADUIT DE L'ALLEMAND
PAR ISABELLE ENDERLEIN

EDITIONS
THIERRY
MAGNIER

1

La première chose, c'est l'odeur de sang et de café. La machine à café est sur la table ; le sang, c'est dans mes pompes. Pour être honnête, c'est pas que du sang. Au moment où le plus vieux a dit « quatorze ans », je me suis pissé dessus. Ça faisait un moment que j'étais affalé sur mon tabouret sans broncher. J'avais la tête qui tournait. J'ai essayé de prendre l'air que Tschick prendrait proba- blement si quelqu'un lui lançait : « quatorze ans ». Et là, je me suis pissé dessus de frousse. Maik Klingenberg, le héros. Et ça, alors que je sais même pas pourquoi je m'ex- cite juste *maintenant*. C'était clair depuis le départ, que ça allait finir comme ça. Tschick s'est sûrement pas pissé dessus, lui.

Mais il est où, Tschick, d'ailleurs ? Je l'ai vu pour la dernière fois sur l'autoroute sauter à cloche-pied vers les buissons. Mais je suppose qu'ils l'ont attrapé aussi. Sur une jambe, on va pas loin. Le truc, c'est que je peux pas demander aux flics. Ben non : si jamais ils l'ont pas vu, c'est logiquement mieux de pas poser de questions. Peut-être qu'ils l'ont pas vu. Et c'est pas de moi qu'ils vont apprendre quoi que ce soit, alors là. Ils peuvent me torturer s'ils veulent. Remarque, je crois pas que la police allemande ait le droit de torturer qui que ce soit. C'est qu'à la télé qu'ils ont le droit. Ou en Turquie.

Mais bon, être assis dans une station de la police d'autoroute, à macérer dans le pipi et à pisser le sang tout en répondant à des questions sur les parents, c'est pas non plus le pied intersidéral. Peut-être même que la torture, ce serait assez sympa, au moins j'aurais une bonne raison de m'exciter.

Le mieux, c'est qu'on ferme notre gueule, a dit Tschick. Pour ça, je suis à fond d'accord. Surtout maintenant que tout est égal. Et que moi, tout m'est égal. Enfin, presque tout. Tatiana Cosic, par exemple, elle m'est pas égal, même si ça fait longtemps que j'ai plus pensé à elle. Ceci dit, là, maintenant tout de suite, comme je suis assis sur ce tabouret, que l'autoroute ronfle derrière moi et que ça fait cinq minutes que le plus vieux des deux flics trifouille à la machine à café, y met de l'eau, la renverse, appuie cent cinquante fois sur le bouton et examine la machine sous toutes ses coutures, alors que n'importe quelle andouille verrait que c'est juste la prise de la rallonge qu'est pas branchée – eh bien là, je pense à Tatiana. Car concrètement : je serais pas là si Tatiana Cosic n'existait pas. En même temps, elle a rien à voir avec toute cette histoire. C'est pas clair, ce que je raconte ? Je sais, désolé. Je ressaierai plus tard. Tatiana n'apparaît pas de toute l'histoire. La plus belle fille du monde n'apparaît pas. Pendant tout le voyage, j'ai toujours imaginé qu'elle pouvait nous voir. Quand on a sorti la tête du champ de blé. Quand on était sur la décharge, comme des cons, un bouquet de tuyaux à la main... J'ai toujours imaginé Tatiana derrière nous, voyant ce qu'on voit, contente comme nous. Mais là, maintenant, je suis surtout content de n'avoir qu'imaginé qu'elle nous voyait.

Le policier tire un kleenex gris du distributeur et me le tend. Je suis censé faire quoi, avec ça ? Les sols ? Il saisit son nez de deux doigts sans cesser de me regarder. Ah d'accord. Me moucher. Je me mouche, il me sourit avec amabilité. Le coup de la torture, je crois que je peux oublier. Et j'en fais quoi, maintenant, du kleenex ? Du regard, je balaie le sol de la station, qui est recouvert de dalles de lino grises, les mêmes que dans les couloirs de notre gymnase. Ça sent aussi un peu pareil. Pisse, transpiration, lino. Je vois Wolkow, notre prof de sport, traverser les couloirs en sautillant, avec son survêt et ses soixante-dix ans musclés : « C'est parti, les gars ! Hop, hop ! » Le couinement de ses pas sur le sol, le gloussement lointain depuis la cabine des filles, et le regard de Wolkow dans leur direction. Je vois les hautes fenêtres, les anneaux au plafond qu'ont jamais été utilisés. Je vois Natalie, Lena et

Kimberley entrer par la porte du gymnase. Et Tatiana dans son survêt vert. Je vois son reflet flou sur le sol, les pantalons fluo que portent toutes les filles en ce moment, leurs hauts. Même que depuis peu, la moitié d'entre elles fait gym dans des pulls en laine hyper épais. Et qu'à chaque fois, y en a au moins trois qui sont dispensées. Collège Hagecius, ville de Berlin, classe de quatrième.

Je demande :

– Je pensais quinze.

Le policier secoue la tête.

– Non, quatorze. Quatorze. Il en est où, ce café, Horst ?

– La machine est cassée.

Je veux parler à mon avocat. Ça, ce serait probablement la phrase à sortir maintenant. La bonne phrase au bon moment, comme à la télé. Mais c'est facile à dire : Je veux parler à mon avocat. Probable que ça les ferait doucement rigoler. Le truc, c'est que j'ai aucune idée de ce que ça veut dire. Si je dis que je veux parler à mon avocat et qu'ils me demandent : « *À qui* tu veux parler ? *Ton avocat* ? », je réponds quoi ? J'ai encore jamais vu d'avocat de ma vie. Et je sais même pas si j'en ai besoin. Je sais même pas si avocat du barreau, c'est la même chose qu'avocat tout court. Ou procureur. Je suppose que c'est genre comme un juge, sauf qu'il est de mon côté et qu'il est plus calé que moi question lois. Cela dit, être plus calé que moi question lois, c'est concrètement le lot de n'importe quel cornichon ici présent. Et de n'importe quel flic surtout. À eux, je pourrais sûrement poser la question. Mais je parie que si je demande au plus jeune si j'ai besoin d'un truc genre avocat, il va se tourner vers son collègue et lui lancer : « Hé, Horst ! Viens un peu voir ! Notre héros, là, il voudrait savoir s'il a besoin d'un avocat ! Regarde-moi ça, ça pisse le sang à en inonder le sol, ça se fait dessus comme un champion du monde, et ça veut parler *à son avocat* ! » Hahaha. Et là, bien sûr, ils se marrent comme des baleines. Et je trouve que je suis suffisamment dans la mouise, j'ai pas non plus besoin de jouer au guignol de service. Ce qui s'est passé s'est passé, on va pas en rajouter. Même un avocat peut plus rien y faire. Ben non. Qu'on ait fait des conneries, faudrait être barge pour le contester. Qu'est-ce que je pourrais bien dire ? Que je suis resté au bord de la piscine toute la semaine, demandez donc à la femme de ménage ? Que les cochons sont tombés du ciel comme la pluie ? Je vois pas mieux. Je pourrais me mettre à prier vers La Mecque et faire dans mon froc. À part ça, j'ai pas beaucoup d'options.

Le plus jeune, qui en fait a l'air assez sympa, secoue la tête et répète :

– Quinze ans, c'est n'importe quoi. Quatorze. C'est à quatorze ans qu'on est majeur au plan pénal.

Sans doute je devrais avoir des remords, des regrets et tout ça, mais très franchement, je ressens rien du tout. J'ai juste un vertige de folie. Je me gratte en bas, au niveau du mollet. Le truc, c'est que là où y avait mon mollet avant,

maintenant y a plus rien. Une petite bande de glaire vio-
lette me reste collée à la main. C'est pas *mon* sang, je leur
ai dit tout à l'heure, quand ils m'ont interrogé. Y avait
suffisamment de glaire sur la route pour s'occuper. Et puis
je pensais vraiment que c'était pas mon sang. Mais si ça,
c'est pas mon sang, alors il est où, mon mollet, je vous le
demande ?

Je relève le bas de mon pantalon et je regarde en dessous. Et là, j'ai exactement une seconde pour m'étonner.
Si je voyais ça dans un film, j'aurais sûrement la nausée, je
me dis. Et le fait est que je me mets à avoir la nausée, là,
dans cette station de police d'autoroute. Et c'est rassurant,
aussi, quelque part. L'espace d'un court instant, je vois
encore mon reflet dans le lino venir à ma rencontre. Et puis
ça fait boum, et je suis parti.

2

Le médecin ouvre et ferme sa bouche comme une carpe. Quelques secondes s'écoulent avant que des mots n'en sortent. Le médecin crie. Pourquoi est-ce qu'il crie comme ça, le médecin ? Il crie après la petite femme. Et puis y a l'uniforme qui s'en mêle, l'uniforme bleu. Un policier que je connais pas encore. Il remet le médecin à sa place. Et d'où est-ce que je sais, d'abord, que c'est un médecin ? Certes, il porte une blouse blanche. Mais ça pourrait tout aussi bien être un boulanger. Cela dit, il a une lampe de poche en métal et un truc pour ausculter dans la poche de sa blouse ; qu'est-ce qu'un boulanger pourrait bien faire avec ça, ausculter les petits pains ? Y a de bonnes chances que ce soit un médecin. Et voilà que ce médecin désigne ma tête en hurlant. Je tâte un peu partout sous la couverture, là où y a mes jambes. Elles sont nues. Elles ne me donnent plus l'impression d'être pleines de pisse ou de sang. Mais où ai-je atterri ?

Je suis allongé sur le dos. En haut, tout est jaune. Coup d'œil latéral : grandes fenêtres sombres. Autre côté : rideau en plastique blanc. Un hôpital, je dirais. C'est assorti au médecin, d'ailleurs. Oui, c'est bien ça : la petite femme porte aussi une blouse et elle a un bloc-notes. Et quel hôpital c'est, peut-être le Klinikum Charité de Berlin ? Non, aucune idée. Ah oui, c'est vrai, je suis pas à Berlin. Je vais demander. Mais personne ne fait attention à moi. Le truc, c'est que ça a pas l'air de lui plaire, au policier, de se faire engueuler comme ça par le médecin. Du coup, il se met à gueuler lui aussi, mais alors le médecin gueule encore plus fort – et là, c'est intéressant, parce qu'on voit bien qui est le chef. Le chef, en effet, c'est incontestablement le médecin et pas le policier. Et puis je suis complètement crevé. D'une drôle de manière heureux et fatigué à la fois, comme rembourré de bonheur de l'intérieur. Je me rendors sans un mot. Ce bonheur, je l'apprendrai plus tard, a pour nom Valium. Il est dispensé à grands coups de piqûres.

Quand je me réveille la fois d'après, la pièce est baignée de soleil. On gratte mes plantes de pied. Ah voilà, encore un médecin, un autre cette fois, et y a de nouveau une infirmière avec lui. Pas de flics. Juste : le fait que le médecin me gratte les pieds, c'est pas hyper agréable. Pourquoi est-ce qu'il gratte comme ça ?

– Il s'est réveillé, note l'infirmière.

Pleine d'esprit, cette remarque.

– Ah, très bien.

Le médecin me dévisage.

– Comment vas-tu ?

Je veux dire quelque chose, mais de ma bouche ne sort que : « Pfff. »

– Comment tu vas ? Tu sais comment tu t'appelles ?

– Pfff... Hum ?

C'est quoi, cette question ? Ils me prennent pour un cinglé ou quoi ? Je regarde le médecin qui me regarde, et puis il se penche vers moi et éclaire mes yeux de sa lampe de poche. C'est un interrogatoire ? Il faut que j'avoue mon nom ou quoi ? C'est l'hôpital de torture, ici ? Et si oui, est-ce qu'il serait s'il vous plaît possible d'arrêter deux secondes de tirer sur mes paupières, ou du moins de faire semblant de s'intéresser à mes réponses ? Ceci dit, je ne réponds rien du tout. Le truc, c'est que pendant que je réfléchis si je devrais dire Maik Klingenberg, ou juste Maik, ou Klinge, ou Attila le Roi des Huns – c'est ce que mon père dit toujours quand il est stressé et qu'il n'a eu que des nouvelles désastreuses toute la journée ; dans ces cas-là, il boit deux *Jägermeister* et se présente au téléphone sous le nom d'Attila le Roi des Huns –, enfin bref, pendant que je suis encore en train de réfléchir si dans l'absolu je dois répondre quelque chose ou bien si en somme on ne peut pas en faire l'économie dans ce genre de circonstances, le médecin se met à parler de « quatre machins-trucs » et « trois bidules-chouettes », et je me rendors.

3

On peut dire des tas de choses sur les hôpitaux, mais pas que c'est pas cool. J'ai toujours vachement aimé être à l'hôpital. On fout rien de la journée, et le soir les infirmières se ramènent. Les infirmières, elles sont toutes très jeunes et super sympas. Et elles portent ces blouses blanches fines que je trouve géniales parce qu'on voit tout de suite ce qu'elles ont comme sous-vêtements. Pourquoi je trouve ça si génial, je sais pas dans le fond. Le truc, c'est que si quelqu'un se baladait dans la rue comme ça, je trouverais ça débile, mais à l'hôpital, c'est génial. Sérieux. C'est un peu comme dans les films de mafia, où les gangsters matent les mecs en silence pendant une minute avant de répondre.

– Hé !

Une minute de silence.

– Regarde-moi dans les yeux !

Cinq minutes de silence.

Dans la vraie vie, c'est débile. Mais quand on est dans la mafia, eh ben pas.

Mon infirmière préférée s'appelle Hanna et elle vient du Liban. Elle a des cheveux noirs coupés court et porte des dessous « normaux ». Et ça aussi, c'est génial : des dessous normaux. Ces dessous avec plein de dentelles et tout le bazar, ça fait toujours un peu tristoune. Chez la plupart. Si on a pas précisément le corps de Megan Fox, ça peut même paraître carrément désespéré. Je sais pas. Peut-être que je suis pervers, mais le fait est que je craque pour les « dessous normaux ».

En fait, Hanna n'est encore qu'élève infirmière, en formation quoi. Quand elle vient dans ma chambre, elle commence toujours par passer sa tête par l'entrebâillement avant de frapper doucement contre le cadre de la porte. Je trouve ça très, très poli. Et elle invente chaque jour un nouveau nom pour moi. D'abord j'étais Maik, et puis Maikou, et puis Maikounet – là, déjà, je me suis dit : Vieille canaille. Mais c'était pas fini. Après, je me suis appelé Michael Schumacher, et puis Attila le Roi des Huns, et puis tueur de cochons. Le dernier en date, c'était même « petit lapinou malade ». Rien que pour ça, j'aimerais rester toute une année dans cet hôpital.

Hanna change tous les jours mon pansement. Ça fait assez mal, et visiblement, ça lui fait mal aussi, à Hanna.

– Ce qui compte, c'est que ce soit agréable, dit-elle quand elle a terminé.

Et moi je réponds chaque fois que je vais probablement l'épouser plus tard – ou un truc du genre. Malheureusement, elle a déjà un copain. Des fois, elle vient juste comme ça, et elle s'assoit sur mon lit parce que j'ai presque pas de visites. On a de très chouettes conversations. De vraies conversations d'adultes. C'est hallucinant à quel point c'est plus facile de parler avec des femmes comme Hanna qu'avec des filles de mon âge. Si quelqu'un peut m'expliquer ça, il peut d'ailleurs me contacter, parce que moi, je vois vraiment pas pourquoi.

4

Le médecin est déjà moins drôle.

– Ce n'est qu'un lambeau de chair, qu'il dit, du muscle. Ce n'est rien, ça va repousser. Peut-être en restera-t-il une petite entaille ou une cicatrice, ça fera sexy.

Et il dit ça tous les jours. Tous les jours, en examinant mon pansement, il me fait son laïus, qu'il restera une cicatrice, que c'est pas grave, que plus tard ça fera comme si j'avais fait la guerre, etc.

– Comme si tu avais fait la guerre, mon garçon, les filles en raffolent.

Visiblement, c'est censé être une forme de second degré, mais je saisis pas le sens second. Et puis il me fait un clin d'œil. La plupart du temps, je lui rends son clin d'œil, même si je pige que dalle. Après tout, il m'a aidé, cet homme, il faut bien que je l'aide aussi.

Plus tard, nos conversations s'améliorent, surtout parce qu'elles prennent un tour plus sérieux. Enfin, en fait, c'est juste une conversation. Quand je peux de nouveau boiter, il m'entraîne dans son bureau, dans lequel, chose exceptionnelle, y a une table et pas d'appareils médicaux. Et là, on reste assis, face à face, comme deux chefs d'entreprise en train de finaliser leur prochain deal. Sur son bureau, y a un torse humain en plastique dont on peut enlever les organes. Le gros intestin ressemble à un cerveau et la peinture s'écaille au niveau de l'estomac.

– Il faut que je te parle, dit le médecin.

Et ça, c'est logiquement le début de conversation le plus débile que je connaisse. J'attends qu'il commence à parler, mais malheureusement, ça fait partie du truc que de dire : « Il faut que je te parle » et de rien dire du tout. Donc, le médecin me dévisage. Puis il baisse son regard et ouvre un dossier cartonné vert avec détermination. Ou plutôt : comme j'imagine qu'il incise le ventre d'un patient. Avec circonspection et beaucoup de sérieux, comme si c'était très compliqué. Il est chirurgien, cet homme. Toutes mes félicitations.

Ce qui vient après est moins intéressant. En somme, il veut juste savoir d'où vient ma blessure à la tête, en haut à droite. Et aussi d'où viennent les autres blessures – de l'autoroute, encore une fois, OK, ça, il le savait déjà –, mais pour la blessure à la tête, je lui explique que je suis tombé de ma chaise, à la station de police d'autoroute.

Le médecin joint ses mains du bout des doigts. Oui, c'est aussi ce qui est écrit dans le rapport : tombé de sa chaise, à la station de police.

Il hoche la tête. Oui.

Moi aussi, je hoche la tête.

– Nous sommes ici entre nous, dit-il après un temps.

– Bien sûr, je réponds comme la dernière burne de l'espace, avec un premier clin d'œil pour le médecin et puis un autre, par précaution, pour le torse en plastique.

– Ici, tu peux y aller. Je suis ton médecin traitant ; ça signifie dans le cas concret que je suis lié au secret professionnel.

– Ah, très bien.

Il m'avait déjà laissé entendre un truc du genre y a quelques jours. J'ai compris maintenant. Cet homme est lié au secret professionnel, et il attend que je lui raconte un truc pour qu'il puisse le tenir secret. Mais quoi ? À quel point ça déchire de se pisser dessus de peur ?

– Ce n'est pas simplement leur façon d'agir qui est répréhensible. Ils ont failli à leur obligation de surveillance. Ils n'auraient pas dû se fier à tes indications, tu comprends ? Ils auraient dû contrôler et surtout faire venir le médecin immédiatement. Est-ce que tu sais à quel point la situation était critique ? Et tu dis que tu es « tombé » de ta chaise ?

– Oui.

– C'est aussi ce qui est écrit. Mais nous autres, médecins, nous sommes des gens méfiants. Je veux dire par là… Ils voulaient t'extorquer un aveu. En tant que médecin traitant…

Oui, oui, mon Dieu, secret professionnel, j'ai compris. Mais qu'est-ce qu'il veut savoir de plus ? Comment on tombe de sa chaise ? D'abord on glisse sur le côté, puis on va vers le bas, et puis boum ? Il commence par secouer la tête, longuement, et puis il fait un tout petit mouvement de la main – et ce n'est qu'à ce moment-là que je percute où il veut en venir. Mon Dieu, y en avait un à côté de la plaque, sur ma ligne. Mais aussi, tout le temps ce formalisme de merde, il peut pas parler en clair et décodé ?

– Non, non ! je m'écrie.

Mes mains s'agitent en l'air comme pour brasser d'énormes essaims de mouches.

– Tout est correct ! J'étais assis sur ma chaise, j'ai retroussé la jambe de mon pantalon et puis j'ai vu ça, et alors vertige et pfuitt. Il n'y a pas eu d'« influence extérieure ».

Un bon mot, ça. Je le connais des *Experts*.

– Sûr ?

– Sûr et certain. Et les policiers, super sympas. J'ai même eu de l'eau et un kleenex. C'est juste, ben, le vertige et puis hop, sur le côté et vers le bas.

Je me mets debout devant le bureau et, emporté par mes dons d'acteur, je bascule à moitié sur la droite, deux fois de suite.

– Bon, dit lentement le médecin.

Il griffonne quelque chose sur un morceau de papier.

– Je voulais juste savoir. C'est malgré tout irrespon-
sable. Perte de sang... Ils auraient dû... C'est pas l'impression que ça donne.

Il referme le classeur vert et me dévisage longuement.

– Je ne sais pas, peut-être ça ne me regarde pas – mais
j'avoue que ça m'intéresse. Tu n'es pas obligé de répondre
si tu n'as pas envie. Mais – qu'est-ce que vous vouliez
faire, en fait ? Où vouliez-vous aller ?

– Aucune idée.

– Encore une fois, tu n'es pas obligé de me répondre, je
te demande par simple curiosité.

– Je vous le dirais volontiers. Mais si je vous le dis, vous
ne le croirez pas, de toute façon. À mon avis.

– Je te crois sur parole.

Il sourit d'un air avenant. Complice.

– C'est débile.

– Qu'est-ce qui est débile ?

– C'est... pff. Ben en fait, on voulait aller en Valachie.
Vous voyez bien, vous trouvez ça débile.

– Je ne trouve pas ça débile, je n'ai juste pas compris.
Où ça ?

– En Valachie.

– C'est censé être où ?

Il me dévisage avec curiosité et je me sens rougir. Nous
n'approfondissons pas. À la fin, on se serre la main comme
deux adultes. Et d'une certaine manière, je suis soulagé de
ne pas avoir eu à abuser de son secret professionnel.

5

J'ai jamais eu de surnom. À l'école, je veux dire. Mais sinon non plus. Mon nom est Maik Klingenberg. Maik. Pas Maiki, pas Klinge ou une autre ineptie du genre, toujours juste Maik. Sauf en sixième, où on m'a brièvement appelé Psycho. C'est pas le pied intersidéral, qu'on vous appelle Psycho. Mais de toute façon, ça a pas duré longtemps, et après j'étais de nouveau Maik.

Quand t'as pas de surnom, ça peut avoir deux causes. Soit t'es le super bouseux de service, soit t'as pas d'amis. Très franchement, si je devais me décider pour l'une des deux options, je préférerais ne pas avoir d'amis que d'être super bouseux. Logique : quand t'es bouseux, t'as de toute façon pas d'amis – ou alors t'as que des amis qui sont encore plus bouseux que toi.

Mais y a encore une possibilité. On peut aussi être bouseux *et* ne pas avoir d'amis. Et je crains que ce ne soit mon problème. Du moins depuis que Paul a déménagé.

Paul, c'était mon copain depuis le jardin d'enfants. On se voyait presque tous les jours jusqu'à ce que sa frappadingue de mère ait décrété qu'elle préférait vivre à la campagne.

C'était à l'époque où je suis rentré au collège. Autant dire que ça a pas arrangé les choses. Après son déménagement, j'ai presque plus vu Paul. Il habitait à dache ; pour y aller, fallait faire le tour du monde en train de banlieue et se taper six bornes à vélo. Et puis, Paul a changé, dans sa cambrousse. Ses parents ont divorcé, et là, il a pété un câble. Je veux dire : *vraiment* pété un câble. Pour la faire brève il vit maintenant dans la forêt avec sa mère, et il s'embourbe. Ç'a jamais été un foudre de guerre, Paul ; fallait d'abord le mettre en route avant d'entreprendre quoi que ce soit avec lui. Mais là, dans son trou, y avait plus personne pour le faire démarrer, et il s'est embourbé dans son marais. Si je me souviens bien, je ne lui ai d'ailleurs rendu visite que trois fois au plus. Chaque fois, ç'a été tellement la déprime que j'ai plus jamais voulu y mettre les pieds. Paul m'a montré sa maison, le jardin, la forêt, et le poste forestier où il crèche pour observer les animaux. Le truc, c'est que bien évidemment il passait jamais rien. Toutes les deux heures, y avait un pauvre moineau qui voletait devant nous. Et le pire, c'est que Paul les recensait dans son journal. C'était le printemps de l'année où ils ont sorti GTA IV, mais ça, Paul, ça l'intéressait plus du tout. Y en avait plus que pour les bébêtes. Fallait que je me tape la journée sur le perchoir avec lui, et ç'a fini par me soûler.

Une fois, j'ai même feuilleté son journal en cachette, pour voir ce qu'il y avait d'autre dedans ; en l'occurrence plein de trucs. Des trucs sur sa mère, des trucs écrits en langue secrète, et puis des dessins de femmes nues, des dessins vraiment horribles. Non pas que j'aie quoi que ce soit contre les femmes nues – les femmes nues, c'est génial –, mais les dessins, eux, ils étaient pas géniaux du tout, ils étaient juste complètement gogols. Entre les dessins, il avait fait des calligraphies : ses observations animalières et ses observations météo. À la fin, il écrivait même avoir vu des sangliers, des lynx et des loups (loups avec point d'interrogation tout de même) ; et là, j'ai dit :

– C'est la périphérie de Berlin, ici – des « lynx » et des « loups », t'es sûr de toi ?

Il m'a arraché le journal des mains et m'a regardé comme si c'était moi, le débile mental. Après ça, on s'est plus trop vus. C'était il y a trois ans. Et il avait été mon meilleur ami.

Au collège, j'ai d'abord fait la connaissance de personne. Ç'a jamais été trop mon fort, faire des connaissances. Et ç'a jamais été un grand problème pour moi. Jusqu'au jour où Tatiana Cosic a débarqué. Ou plutôt : jusqu'au jour où je l'ai remarquée. Car en fait, Tatiana avait toujours été dans ma classe. Mais je l'ai remarquée qu'en cinquième. Je sais pas pourquoi. À partir de la cinquième, je l'ai eue d'un coup en plein sur mon écran de radar, et c'est là que la misère a commencé. Bon, et maintenant, il faudrait lentement que je me mette à décrire Tatiana. Parce que sinon, tout ce qui suit est incompréhensible.

Tatiana a pour prénom Tatiana et pour nom de famille Cosic. Elle a quatorze ans et mesure un mètre soixante-cinq. Ses parents s'appellent aussi Cosic. Leurs prénoms, je sais pas. Ils viennent de Serbie, ou de Croatie. Disons, leur nom vient de là-bas. Et ils habitent dans un immeuble blanc avec beaucoup de fenêtres. Et je pourrais encore continuer à vous faire mon baratin, mais le truc dingue, c'est que je connais pas du tout mon sujet. Le fait est : je connais absolument pas Tatiana. Je sais d'elle ce que chaque personne de la même classe sait aussi. Je sais à quoi elle ressemble, comment elle s'appelle, je sais qu'elle est bonne en sport et en anglais. Et tout le bazar. Qu'elle mesure un mètre soixante-cinq, je le sais depuis la visite médicale scolaire. Où elle habite, je le sais des pages blanches. Et pour vous la faire brève, je sais rien de plus. Je pourrais logiquement décrire exactement son apparence, et sa voix, et ses cheveux et tout et tout. Mais je crois que c'est pas la peine. Tout le monde a bien compris comment elle est : super belle. Sa voix est super aussi. Elle est juste super, en gros. C'est comme ça qu'on peut l'imaginer.

Voilà que j'ai toujours pas raconté pourquoi ils m'avaient surnommé Psycho. Aucune idée de ce que c'était censé vouloir dire. Enfin, si : c'était censé vouloir dire que j'étais un peu perché. Cela dit, y en aurait eu d'autres qui auraient mérité le surnom, à mon avis. Frank par exemple, ou Stöbcke avec son briquet, ils sont définitivement plus fêlés que moi. Ou l'autre nazi, là. Mais le nazi, il s'appelait déjà nazi, il n'avait plus besoin de surnom. Et puis bien sûr, y avait une raison, pour qu'on m'appelle comme ça. Cette raison, c'était une rédac qu'on avait faite au cours de Schürmann, en sixième. Thème : histoire à mots-clés. Au cas où quelqu'un saurait pas ce que c'est, une histoire à mots-clés, ça fonctionne de la manière suivante : on vous donne quatre mots, genre « zoo », « singe », « gardien » et « bonnet », et il faut écrire une histoire dans laquelle apparaissent les mots « zoo », « singe », « gardien » et « bonnet ». Super original. Le truc complètement débile.

Les mots que Schürmann avait médités, c'était « vacances »,
« eau », « sauvetage » et « Dieu ». Ce qui déjà était carrément plus dur que le coup du zoo et du singe. La plus
grosse difficulté, bien sûr, c'était Dieu. On n'avait que des
cours d'éthique, dans notre école ; et dans la classe, on
était seize athées, moi y compris. Et même ceux qui étaient
protestants, ils croyaient pas vraiment en Dieu. À mon
humble avis. Du moins ils croyaient pas comme croient
les gens qui croient *à fond* en Dieu, ceux qui feraient pas
de mal à une mouche, ou qui sont super contents quand
quelqu'un meurt parce qu'il va au ciel. Ou qui s'écrasent
contre le World Trade Center en avion. *Ceux-là*, ils croient
vraiment en Dieu. Et du coup, cette rédac, elle était assez
difficile. La plupart se sont agrippés comme des fous au
mot « vacances », et se sont lancés dans un truc du genre :
la petite famille qui fait du canoë sur la Côte d'Azur, qui
se retrouve par le plus grand des hasards, surprise, au
beau milieu d'une horrible tempête, qui s'écrie « Oh mon
Dieu ! », et puis qu'est sauvée. Moi aussi, j'aurais pu sortir
un truc dans ce goût-là. Mais lorsque je me suis mis à cette
rédac, le premier truc que j'ai remis, c'est que ça faisait
trois ans qu'on n'était plus partis en vacances, parce que
mon père, tout ce temps-là, avait travaillé pour sa faillite.
Ce qui m'a nullement dérangé, d'ailleurs, on peut pas dire
que je rêve de partir en vacances avec mes parents.

À la place, j'avais passé les dernières vacances d'été
dans notre cave à sculpter des boomerangs. C'était un prof

à moi du primaire qui m'avait appris ça. Le vrai spécialiste dans le domaine du boomerang. Bretfeld, il s'appelait, Wilhelm Bretfeld. Il a même écrit un livre là-dessus. Même deux livres. Mais ça, je l'ai appris qu'après avoir quitté l'école primaire. J'ai rencontré le vieux Bretfeld dans un champ ; en gros, il était juste derrière notre maison, dans le champ à vaches, en train de lancer ses boomerangs, des boomerangs qu'il avait sculptés lui-même. Ça, c'était un truc, j'imaginais même pas que ce soit possible. Un truc où je me disais : Ça n'existe que dans les films, qu'ils te reviennent pour de vrai. Mais Bretfeld, c'était le super pro, et il m'a montré comment ça marchait. J'ai trouvé ça hyper impressionnant. Aussi qu'il ait sculpté et peint lui-même tous ses boomerangs.

– Tout ce qui est rond devant et pointu à l'arrière peut voler, a-t-il dit.

Et puis il m'a dévisagé de derrière ses lunettes et m'a demandé :

– Comment tu t'appelles, déjà ? Je ne me souviens plus de toi.

Ce qui m'a fait le plus kiffer, c'était son boomerang long-courrier. Un boomerang qu'il avait conçu lui-même et qui pouvait voler plusieurs minutes, c'est lui qui l'a *inventé*. Aujourd'hui, partout dans le monde, quand quelqu'un lance un boomerang long-courrier et qu'il reste cinq minutes dans les airs, on fait une photo, et dessous y a écrit : *design de Wilhelm Bretfeld*. En gros, il est de renommée universelle, ce Bretfeld. Et il était là, l'été dernier, derrière notre maison dans le champ à vaches, à me montrer tout ça. Vraiment un bon prof. Ça, j'avais pas remarqué, à l'école.

Bon bref, toujours est-il que j'ai passé toutes les vacances d'été à la cave à sculpter des boomerangs. Et ç'a été des vacances d'été géniales, beaucoup mieux que si on était partis quelque part. Mes parents n'étaient presque jamais à la maison. Mon père courait de créancier en créancier, et ma mère était à sa beautyfarm. Et c'est justement là-dessus que j'ai écrit ma rédac : ma mère et la beautyfarm. Une histoire à mots-clés de Maik Klingenberg.

L'heure de cours suivante, j'ai eu le droit de la lire. Ou plutôt : j'ai dû la lire. Je voulais pas, en fait. En premier, c'est Svenia qui a lu son machin débile avec la Côte d'Azur que Schürmann a trouvé absolument génial, et puis Kevin a lu la même chose, à la nuance près que c'était plus la Côte d'Azur mais la mer du Nord. Ensuite c'était mon tour. Ma mère à la beautyfarm. Qu'est pas vraiment une ferme de beauté, d'ailleurs, même si ma mère avait effectivement meilleure mine quand elle en revenait. En réalité, c'est une clinique de désintoxication. Ma mère est alcoolique. Elle a toujours bu, d'aussi loin que je me souvienne. La seule différence, c'est qu'avant c'était plutôt rigolo. Normalement on est plutôt rigolo, sous l'effet de l'alcool, mais passée une certaine limite, on devient fatigué ou agressif. Le jour où ma mère s'est mise à déambuler dans la maison un couteau de cuisine à la main, mon père lui a suggéré :

– Que dirais-tu d'un nouveau petit séjour à la ferme de beauté, hum ?

Et c'est ainsi que l'été a commencé, à la fin de l'année de sixième.

J'aime bien ma mère. Il faut que je le précise, parce que ce qui suit ne jette pas forcément une lumière géniale sur elle. Mais je l'ai toujours bien aimée, et je l'aime toujours bien. Elle est pas comme les autres mères, et c'est ça que j'ai toujours aimé chez elle. Par exemple, elle a beaucoup d'humour, et ça, on peut pas vraiment le prétendre de la plupart des mères. Que ça s'appelle ferme de beauté, c'était justement une petite blague à elle.

Avant, ma mère jouait beaucoup au tennis. Mon père aussi, mais pas aussi bien. Le vrai crack du tennis, dans notre famille, c'était ma mère. Quand elle était encore en forme, elle gagnait tous les ans le tournoi du club. Et même avec une bouteille de vodka dans le sang elle le remportait encore, mais c'est une autre histoire. Toujours est-il qu'enfant, j'étais tout le temps fourré avec elle au tennis. Ma mère passait son temps à la terrasse du tennis-club à boire des cocktails avec Mme Weber, Mme Osterthun, M. Schuback et toute la troupe. Moi, j'étais assis sous la table à jouer aux voitures. Le soleil tapait. Dans mon souvenir, y a toujours du soleil au tennis-club. J'examine la poussière rouge sur les cinq paires de chaussures blanches, contemple la lingerie sous les jupettes serrées, et rassemble les capsules qui tombent de la table pour colorier au stylo-bille à l'intérieur. J'ai droit à cinq glaces et dix Coca et laisse le serveur les mettre sur notre compte. Et puis Mme Weber lance de là-haut :

– On se revoit la semaine prochaine à sept heures, madame Klingenberg ?

Ma mère : Bien sûr.

Madame Weber : Cette fois, c'est moi qui amène les balles.

Ma mère : Bien sûr.

Et ainsi de suite. Toujours la même conversation. Et la blague, c'est que Mme Weber n'apportait jamais de balles, elle était bien trop rat pour ça.

Ceci dit, y avait de temps à autre une variante. Ça rendait :

– On se revoit samedi prochain, madame Klingenberg ?

– Je ne peux pas, je pars.

– Mais votre mari n'a pas son tournoi interclubs ?

– Si, d'ailleurs il ne part pas, c'est moi qui pars.

– Et où allez-vous comme ça ?

– À la beautyfarm.

Et là, y en avait toujours, mais alors toujours un à table pour ne pas savoir ce que c'était et faire la trépidante remarque :

– Mais vous n'en avez nullement besoin, madame Klingenberg !

Ma mère avalait d'un trait son brandy alexander et répondait :

– C'était une blague, monsieur Schuback, c'est une clinique de désaccoutumance.

Et puis on rentrait du tennis-club, main dans la main

parce que ma mère ne pouvait plus conduire la voiture. Je portais son sac de sport trop lourd pour moi, et elle me disait :

– Il n'y a pas grand-chose que tu puisses apprendre de ta mère. Mais il y en a quand même deux : premièrement, on peut parler de tout. Deuxièmement, t'en as rien à foutre de ce que les autres pensent.

Ça, ça a tout de suite fait tilt chez moi. Parler de tout et rien à foutre des autres. Plus tard, j'ai eu des doutes. Pas sur le principe. Mais des doutes quant à savoir si ma mère en avait vraiment rien à foutre.

Bon bref – la beautyfarm. Comment ça se passait là-bas exactement, je sais pas, parce que j'ai jamais eu le droit de lui rendre visite, à ma mère, elle voulait pas. Mais quand elle en revenait, elle racontait toujours des trucs complètement dingues. Visiblement, la thérapie consistait essentiellement en deux trucs : pas boire d'alcool, et discuter. De l'hydrothérapie, parfois. De la gym aussi. Mais de la gym, y en avait plus beaucoup qu'étaient encore en état d'en faire. La plupart du temps, ils ne faisaient que discuter en cercle, en se jetant une pelote de laine les uns les autres. Le truc, c'est que seul celui qu'avait la pelote avait le droit de parler. J'ai redemandé cinq fois si j'avais bien entendu ou si c'était une blague, cette histoire de pelote. Mais c'était pas une blague. Ma mère, elle, trouvait pas ça spécialement drôle ou intéressant, mais moi, franchement, je trouvais ça hallucinant. Non, mais vous imaginez le truc ? Dix adultes, en cercle, en train de se refiler une pelote de laine. Après, toute la pièce était pleine de laine, mais c'était pas le but de la séance, contrairement à ce qu'on pourrait penser de prime abord. Le but, c'était que se forme un « réseau de paroles ». Rien qu'à ça, on peut voir que ma mère n'était pas la plus timbrée de tout l'asile. Il devait quand même y en avoir des franchement plus barges.

Et à présent, s'il y en a un qui s'imagine que le truc de la pelote, c'est imbattable, eh ben il a pas encore entendu parler du coup du carton. Car chacun des patients de la clinique avait un carton dans sa chambre, accroché juste sous le plafond, l'ouverture vers le haut ; et il fallait tout le temps y balancer des petits bouts de papier, comme dans un panier de basket. Des bouts de papier sur lesquels les types avaient consigné leurs désirs, leurs souhaits, leurs résolutions, leurs prières, des trucs dans le genre. Chaque fois que ma mère manifestait un désir, prenait une résolution ou se faisait un reproche, elle l'écrivait, elle repliait le petit bout de papier, et hop là ! Dirk Nowitzki, panier.

Et le truc absolument dingue, c'est que *jamais* personne ne lisait ces bouts de papier. C'était pas le but. Le but, c'était juste de les écrire. Comme ça c'est là, et on peut dire : Voilà, mes vœux et désirs et tout le bordel sont accrochés en haut dans ce carton. Et comme ces cartons étaient hyper importants, il fallait aussi leur donner un nom. On écrivait ce nom au feutre sur le carton. Résultat : chaque ivrogne avait un carton accroché dans sa chambre qui s'appelait « Dieu » et dans lequel il y avait ses désirs. Car la plupart appelaient leur carton « Dieu ». C'était la proposition des thérapeutes, de l'appeler Dieu. Mais on pouvait l'appeler comme on voulait. Une dame un peu âgée l'a appelé « Osiris », et un autre « Esprit Fort ».

Ma mère avait appelé son carton « Karl-Heinz ». Le thérapeute est venu la voir et l'a bombardée de questions. Il a d'abord voulu savoir si c'était son père.

– Qui ça ? a demandé ma mère.

Et le thérapeute a désigné le carton. Ma mère a secoué la tête, et du coup le thérapeute a demandé qui ça pouvait bien être, ce Karl-Heinz, et ma mère a répondu :

– Ben, c'est cette boîte en carton, là.

Et après, le thérapeute a voulu savoir comment s'appelait le père de ma mère.

– Gottlieb, a répondu ma mère.

Et le thérapeute a fait :

– Ah, OK !

Et ce « Ah, OK ! » semblait signifier un truc genre : Ah, je comprends maintenant ! Gottlieb, ah, OK ! Ceci dit, ma mère savait pas ce que le thérapeute était censé avoir compris, et il le lui a pas dit non plus. Apparemment, c'était tout le temps comme ça ; les thérapeutes avaient à fond l'air au courant, mais ils n'auraient jamais avoué de quoi. Lorsque mon père a entendu cette histoire avec le carton, il a failli en tomber à la renverse de rire. Il a pas arrêté de dire : « Mon Dieu, que c'est triste » ; mais en fait il a plutôt ri, et moi aussi j'avais tout le temps envie de rire, et ma mère, elle trouvait ça drôle de toute façon, du moins après coup.

Et tout ça, je l'ai écrit dans ma rédac. Pour caser le mot « sauvetage », j'ai ajouté l'épisode avec le couteau de cuisine, et comme j'étais sur ma lancée, j'ai aussi évoqué le moment où elle est descendue de l'escalier et m'a confondu avec mon père. C'était la rédac la plus longue que j'aie jamais écrite, au moins huit pages, et j'aurais pu encore écrire les parties II, III et IV si j'avais voulu, mais il s'est avéré que la partie I suffisait amplement.

La classe a complètement flippé à la lecture. Schürmann a réclamé du calme et puis il a dit :

– OK, bon, très bien. C'est encore très long ? Ah, encore si long ? Ça suffit comme ça pour l'instant, je dirais.

Et du coup, j'ai pas eu besoin de lire le reste. Schürmann m'a gardé auprès de lui pendant la récré pour lire seul mon cahier. Moi, je me tenais debout à côté de lui, trop fier parce que ça avait été un tel succès et qu'à présent, même Schürmann voulait lire la rédac personnellement. Maik Klingenberg, l'écrivain. Et puis Schürmann a refermé le cahier, m'a examiné en secouant la tête, et je me suis dit : Ça, c'est trop une marque de respect, genre mais comment est-ce possible qu'un élève de sixième puisse écrire des rédac aussi géniales ? Mais en fait, il a dit :

– Qu'est-ce que tu as à sourire niaisement comme ça ?
Tu trouves ça drôle, en plus ?

Et là, j'ai lentement pris conscience que c'était peut-être pas un succès *si* fulgurant. Du moins pas auprès de Schürmann.

Il s'est levé de son pupitre. Il est allé vers la fenêtre et a regardé au-dehors, dans la cour de récréation. Et puis il s'est de nouveau tourné vers moi.

– Maik, a-t-il dit, C'est de ta *mère* que tu parles. Tu y as pensé, à ça ?

Visiblement, j'avais fait une gigantesque bourde. Je savais certes pas laquelle. Mais y avait qu'à voir la tête de Schürmann pour comprendre que j'avais fait une bourde monumentale. Et qu'il la tenait pour la rédac la plus affligeante de l'histoire des rédac, c'était assez clair aussi. Juste : pourquoi c'était le cas, ça, je savais pas, et il me l'a pas révélé non plus ; et très franchement, je le sais pas jusqu'à aujourd'hui. Il a fait que répéter que c'était ma mère, et moi j'ai répondu que ben oui, j'avais bien conscience que ma mère c'était ma mère, et du coup il a brusquement haussé le ton pour dire que cette rédac était le truc le plus ignoble, le plus nauséabond, le plus éhonté qui lui soit parvenu en quinze ans de service dans l'Éducation nationale, et patati et patata, qu'il fallait que j'arrache immédiatement ces dix pages de mon cahier. J'étais complètement paf, et comme un glandu, je me suis bien sûr précipité pour récupérer mon cahier et en arracher les pages, mais Schürmann a retenu ma main et crié :

– Pas les arracher en vrai, tu ne comprends donc vraiment rien à rien ? Je te demande d'y *réfléchir*, de *réfléchir* !

J'ai réfléchi une minute, et franchement, je pigeais que dalle. J'ai toujours pas pigé jusqu'à aujourd'hui. J'avais rien inventé, après tout.

Et après ça, ils m'ont appelé Psycho. Pendant presque un an, tout le monde m'a appelé comme ça. Même en cours, même en présence des profs. « Allez, Psycho, fais la passe ! Tu vas y arriver, Psycho ! Bien tendue, la balle ! » Ça n'a cessé que lorsque André est arrivé dans notre classe. André Langin. Le bel André.

André avait redoublé. Dès le premier jour, il est sorti avec une fille de notre collège. Toutes les semaines, il avait une nouvelle copine. En ce moment, il est avec une Turque de l'autre classe qui ressemble à Salma Hayek. Il a aussi un peu dragué Tatiana. Et là, j'étais vraiment à l'ouest. Pendant quelques jours, ils étaient tout le temps fourrés ensemble, dans les couloirs, devant l'école, dans la rotonde. Mais finalement, il s'est rien passé entre eux – du moins je crois. Ça m'aurait tué. Je dis « je crois », parce qu'au bout d'un moment, ils se sont plus parlé ; et peu de temps après, j'ai entendu André expliquer à Patrick que la femme et l'homme n'étaient pas faits l'un pour l'autre, genre les méga théories scientifiques sur l'âge de pierre, le machairodus, la grossesse et tout le tralala. Et là, je l'ai détesté. Je le détestais à mort depuis le départ, mais c'était pas super facile. Parce qu'il faut bien le dire : même si c'est pas une lumière, c'est pas non plus une triple buse. Il peut être assez sympa, il est assez cool, et puis, encore une fois, il est plutôt assez beau. Mais il est quand même assez con. Comble de malheur, il habite juste une rue derrière chez nous, dans la Waldstrasse, au numéro 15. D'ailleurs, y a que des cons qui habitent là. Les Langin ont une grosse baraque, son père est dans la politique, conseiller municipal ou un truc dans le genre. Mon père dit : « Un grand homme, ce Langin ! » Parce que lui aussi, il est chez les libéraux, maintenant. Quand j'entends des trucs pareils, j'ai envie de dégueuler, mais alors à grosses giclées. Désolé.

Bon, mais je voulais raconter autre chose, en fait. Un jour, André était encore tout nouveau dans notre classe, on a fait une excursion, au sud de Berlin. La vieille excursion dans la forêt. Je marchais à bonne distance derrière les autres et contemplais la nature. Le truc, c'est qu'à l'époque, on venait de faire une plantation d'herbes, et je m'intéressais à la nature. *Aux arbres.* Je voulais peut-être devenir scientifique ou un truc dans le genre. Mais ça a pas duré longtemps – ce qui a probablement à voir avec cette excursion, pendant laquelle j'ai fait ma petite rando à mille années-lumière des autres pour être peinard et contempler la foliation et l'habitus du cristal. Et là, j'ai brutalement pris conscience qu'en fait, je m'en foutais royalement, de la foliation et de l'habitus. Des rires ont fusé devant moi, parmi lesquels j'ai reconnu celui de Tatiana Cosic. Et deux cents mètres plus loin, arrivée de Maik Klingenberg qui promène ses grolles à travers la forêt et contemple les feuilles de merde des arbres de merde dans la nature de merde. Qu'était même pas une vraie nature, en plus, plutôt genre un bosquet tout riquiqui avec trois écriteaux plantés tous les dix mètres. Enfer et damnation.

Au bout d'un moment, on s'est arrêtés devant un charme vieux de trois cents ans, planté là par un certain Frédéric le Grand, et le prof a demandé si quelqu'un savait ce que c'était, comme arbre. Personne savait. Sauf moi, bien sûr. Mais je suis quand même pas suffisamment grave pour dire devant tout le monde que c'est un charme. Autant dire directement : Je m'appelle Psycho et j'ai un problème. Déjà, qu'on reste plantés là, autour de cet arbre, sans que quelqu'un sache comment il s'appelle, c'était assez la déprime comme ça.

Et j'en arrive lentement à mon point. Sous ce charme, Frédéric le Grand avait fait mettre des bancs pour qu'on puisse s'y asseoir et pique-niquer, et c'est exactement ce qu'on a fait. J'étais par hasard à la même table que Tatiana Cosic. André me faisait face, le bel André. Il avait mis ses bras sur les épaules de Laura et de Marie. Comme s'ils étaient super potes, alors qu'il était pas du tout pote avec elles, ça faisait genre à peine une semaine qu'il était dans notre classe. Mais les deux, là, elles avaient rien contre. Au contraire, elles étaient fossilisées de bonheur ; elles bronchaient pas d'un millimètre de peur d'effaroucher les oiseaux posés sur leurs épaules. Et pendant tout ce temps, André n'a rien dit ; il a juste sorti son regard torride et il a torridement sillonné l'horizon. Au bout d'un moment, ce regard est tombé sur moi, et après un long moment de réflexion, il a lancé, genre en s'adressant à quelqu'un mais garanti sur facture pas à moi :

– Pourquoi il s'appelle Psycho, celui-là, en fait ? C'est un raseur de première.

La bonne blague.

Laura et Marie étaient pétées de rire. Et comme ç'avait été un si grand succès, André en a rajouté une couche :

– Non, mais sérieux, pourquoi somnifère s'appelle Psycho, en fait ?

Et depuis ce jour, je m'appelle de nouveau Maik. Et c'est pire qu'avant.

Y a pas mal de choses où je suis nul. Mais s'il y a un truc que je maîtrise, c'est le saut en hauteur. Je dis pas que je suis mûr pour les Jeux olympiques, mais disons qu'en saut en hauteur et en longueur, je me débrouille pas mal. En gros, je suis quasi imbattable. Bien que je sois l'un des plus petits de ma classe, je saute aussi haut que Olaf, qui fait un mètre quatre-vingt-dix. Au printemps dernier, j'ai battu le record des collèges, j'étais trop fier. On était sur le terrain du saut en hauteur, les filles étaient assises dans l'herbe, à côté, à écouter le petit speech de Mme Beilcke. Le cours de sport, chez elles, ça se passe comme ça : y a Beilcke qui fait son speech, et les filles sont assises autour et se grattent les chevilles. Au moins, elles, elles passent pas leur temps à courir autour du stade comme Wolkow.

Wolkow, c'est le prof de sport des mecs, et lui aussi, bien sûr, il aime bien faire des speechs. Tous les profs de sport que j'ai eus jusqu'à présent, c'est hallucinant ce qu'ils peuvent baver comme texte. Wolkow, lui, il parle du championnat de Ligue 1 le lundi, en général c'est encore la Ligue 1 le mardi, le mercredi c'est la Ligue des Champions, et le vendredi il se réjouit déjà des matchs de Ligue 1 du samedi. Et il nous livre sa petite analyse. L'été, y a aussi le tour de France. Mais en passant par la case dopage il en revient invariablement au sujet le plus important entre tous : pourquoi, fort heureusement, il n'y a pas de dopage au foot. La raison, dit-il, c'est que ça ne « sert à rien ». C'est vraiment son opinion, à Wolkow. On en a tous rien à foutre, de ce qu'il raconte, mais le problème est le suivant : Wolkow ne parle que pendant les séances d'endurance. Et comme il a une condition physique d'enfer – il a sûrement soixante-dix piges ou un truc dans le genre, mais fait tranquillement ses petits tours en tête du peloton, frais comme un gardon – eh ben il tchatche et tchatche et tchatche. Il nous fait tout le temps :

– Les gars !, et puis plus rien pendant dix mètres, et après :

– Borussia Dortmund.

Dix mètres.

– Ils vont pas y arriver.

Dix mètres.

– Leur bilan à domicile est nul. C'est vrai ou j'ai raison ?

Vingt mètres.

– Et ce vieux renard de van Gaal ? Ce ne sera pas une balade de santé. Et patati et patata.

– Votre avis sur la question ?

Cent mètres.

Bien sûr, personne ne dit quoi que ce soit, parce qu'on a déjà vingt kilomètres dans les jambes. Y a que Hans, ce nazi et crétin de footeux qui sue à grosses gouttes et halète vingt mètres plus loin, qui se met parfois à hurler : « Ha ho hé, Hertha BSC ! Allez Berlin ! » Et là, même pour Wolkow, pour ce papoteur de Wolkow, c'est too much : il fait alors une boucle pour ramener Hans vers le peloton, et, index en l'air, s'écrie d'une voix tremblante :

– Joe Simunic ! Erreur monumentale !

Et t'as Hans derrière qui répond :

– Je sais, je sais !

Et Wolkow accélère le rythme de nouveau en murmurant :

– Simunic, mon Dieu, cette forteresse ! Ils auraient jamais dû le vendre. Ils vont descendre en deuxième division. Simunic.

Et rien que pour ça, on peut s'estimer super contents les jours où on a saut en hauteur.

Peut-être bien que ce jour-là, on a fait saut en hauteur uniquement parce que Wolkow avait une angine carabinée, et qu'il pouvait de toute façon pas courir *et* débiter ses conneries en même temps, seulement courir. Quand Wolkow a une angine normale, il papote un peu moins. Quand il est mort, on n'a pas cours, mais quand il n'a qu'une angine carabinée, il fait ses tours de stade en silence.

Pendant le saut en hauteur, il a passé son temps à noter nos performances dans son petit carnet noir et à les comparer à celles de l'année dernière, croassant sans arrêt qu'on avait sauté cinq centimètres plus haut la fois d'avant. Comme déjà mentionné, les filles étaient assises à côté du terrain à écouter Mme Beilcke. Enfin, évidemment qu'elles écoutaient pas pour de bon, en vrai elles lorgnaient vers nous.

Tatiana était accroupie avec sa copine Natalie à dire des messes basses. Moi, j'étais sur les starting-blocks ; je voulais absolument que ce soit mon tour avant que Beilcke ait terminé son homélie. Ce qui était génial, c'est que Wolkow avait organisé une compèt : barre à un mètre vingt, celui qui passe pas est éliminé, et puis la même chose cinq centimètres plus haut, etc. À un mètre vingt, y a que Heckel qu'est pas passé. Heckel, il a des jambes allumettes et une bedaine de porcinet qu'il avait déjà en sixième. Qu'avec ça il décolle pas d'un centimètre, c'est pas un scoop. À vrai dire, il est bon dans aucune matière, mais en sport il est particulièrement nul. En plus, il est dyslexique. Concrètement, ça veut dire qu'en cours d'allemand, son orthographe ne compte pas. Il peut faire autant de fautes qu'il veut. Y a que le style et le contenu qui comptent, parce que comme c'est une maladie, il y peut rien. Moi, je me demande ce qu'il y peut, à ses jambes allumettes. Son père est chauffeur de bus et foutu exactement pareil : un trois tonnes monté sur échasses. Vu sous cet angle, Heckel est donc aussi un dyslexique du saut en hauteur ; on devrait pas regarder à quelle hauteur il saute, on devrait juste regarder son style. Mais ça, c'est pas une maladie homologuée, et du coup il se garde son cinq sur vingt en sport, et toutes les filles se marrent quand elles voient le gros lard repousser la barre des deux mains et se manger le visage en couinant. Pauvre zèbre. En même temps, faut avouer que c'est assez comique. Le truc, c'est que même en imaginant que la hauteur ne compte pas, le style, chez lui, c'est aussi cinq sur vingt.

À un mètre quarante, ça commençait à se clairsemer. À un mètre cinquante, y avait plus que Kevin et Patrick, André avec difficulté, et moi bien sûr. Olaf était malade. Au moment où André avait péniblement passé la barre, les filles avaient exulté, et Beilcke les avait réprimandées du regard. À un mètre cinquante, Natalie a crié : « Allez, André ! Tu vas y arriver ! » La remarque profondément débile, parce que bien sûr, il est pas passé. Au contraire : il a fait un vol plané juste au-dessous de la barre, comme ça arrive souvent en saut en hauteur quand on veut trop bien faire, et il est allé se viander contre le bord du matelas. Il a essayé de s'en sortir avec une blague, genre en faisant semblant d'être frustré et de lancer la barre comme un javelot. Mais c'est une antiquité, cette blague, personne n'a rigolé. Après, elles ont encouragé Kevin. Le génie des maths. Mais il a pas passé le mètre soixante. Et du coup, y avait plus que moi. Wolkow a mis la barre à un mètre soixante-cinq, et déjà en prenant mon élan, je sentais que c'était mon jour. C'était le jour de Maik Klingenberg. En prenant mon appel, j'avais déjà ce sentiment de triomphe. Je n'ai pas sauté, j'ai mis les voiles par-dessus le terrain tel un avion, je planais dans les airs, j'étais en suspension. Maik Klingenberg, l'athlète. Je crois que si j'avais dû me donner un surnom, ç'aurait été

Aeroflot, ou Air Klingenberg. Le Condor de Marzahn. Mais bon, malheureusement, on peut pas se donner de surnom soi-même. Au moment où mon dos s'est mollement enfoncé dans le matelas, j'ai perçu des applaudissements contenus du côté des garçons. Et du côté des filles, rien. Au moment où le rebond du matelas m'a redressé, j'ai regardé Tatiana. Mais Tatiana regardait Beilcke. Natalie aussi, elle regardait Beilcke. Elles avaient pas du tout vu mon saut, ces deux idiotes. Aucune fille n'avait vu mon saut. Ça les intéressait pas le moins du monde, la manière dont somnifère psychotique se déplaçait dans les nuages. Aeroflot mon cul.

Ça m'a achevé pour le reste de la journée. Certes, moi non plus, ça m'intéressait pas – comme si cette ineptie de saut en hauteur de merde pouvait m'intéresser une seule seconde. Mais si André avait passé le mètre cinquante, ou si on avait juste *placé* la barre à un mètre soixante-cinq pour Monsieur Langin, les filles se seraient précipitées sur la piste de tartan en agitant leurs pompons. Tandis que pour moi, y en a pas une qui regarde. En gros, j'intéressais personne. Si, moi, y avait quelque chose qui m'intéressait, c'était la question : pourquoi personne ne regarde quand Air Klingenberg s'envole pour le record du collège, et pourquoi ils regardent tous quand le dernier sac à patates glisse de tout son long au-dessous de la barre ? C'était comme ça, apparemment. École de merde, filles de merde. Et y avait pas d'issue. C'est du moins ce que je pensais jusqu'à ce que je rencontre Tschick. À partir de là, quelques trucs ont changé. Et je vais en parler maintenant.

Au départ, Tschick, je pouvais pas le saquer. Personne
pouvait le saquer. C'était un cas social, même physique-
ment. Wagenbach l'a traîné dans notre classe après Pâques,
et quand je dis « traîné », je pèse mes mots. Première heure
après les vacances de Pâques : histoire. Tout le monde était
assis sur sa chaise – version scotché, parce que s'il y a
un salaud autoritaire de service, c'est bien Wagenbach.
Enfin, salaud, c'est exagéré, en réalité Wagenbach est tout
à fait OK. Il fait un cours OK, et au moins c'est pas un
débile mental de première comme la plupart des autres,
Wolkow par exemple. Avec Wagenbach, on a pas de mal
à se concentrer, et on fait bien, parce qu'il peut vraiment
te démonter quelqu'un en deux temps trois mouvements,
et ça, tout le monde le sait. Même ceux qui l'ont encore
jamais eu. Un sixième, avant même de mettre les pieds
au collège Hagecius, il sait : Wagenbach, Achtung ! Dans
son cours, y a pas une mouche qui vole. Chez Schürmann,

t'as toujours au moins cinq portables qui sonnent dans l'heure. Une fois, Patrick s'est même accordé le luxe d'installer une nouvelle sonnerie pendant le cours – il en a testé six, sept, huit avant que Schürmann ne réclame « un peu de silence s'il vous plaît ». Et même là, il l'a pas cinglé du regard, Patrick. Pas osé. Alors que si ton portable sonne avec Wagenbach, t'es sûr de pas atteindre la récré de ton vivant. Y a même une rumeur qui circule, comme quoi Wagenbach, avant, il avait un marteau pour bazarder les portables. Je sais pas si c'est vrai.

Bon bref, Wagenbach est donc entré dans la classe, comme toujours avec son costard tout crotté et sa sacoche brun caca sous le bras, et derrière lui y avait ce gars qui traînait ses savates, on aurait dit qu'il allait pas tarder à sombrer dans le coma ou un truc dans le genre. Wagenbach a posé sa sacoche d'un coup sec sur son pupitre, et il s'est retourné. Les sourcils froncés, il a attendu que le gars ait rampé à l'intérieur pour dire :

– Voilà votre nouveau camarade. Son nom est Andrej…

Et là, il a regardé un petit bout de papier, puis il a regardé le gars, l'air de lui dire qu'il devait prononcer lui-même son nom de famille. Mais le nouveau regardait dans le vide. Ses yeux en amande étaient rivés vers la rangée du milieu, et il a rien dit non plus.

C'est peut-être pas important de dire ce que j'ai pensé de Tschick la première fois que je l'ai vu, mais je veux quand même le faire. En l'occurrence, j'ai eu une impression super négative de ce type qui venait de débarquer avec Wagenbach. Deux gros cons sur un plateau, je me suis dit. Alors qu'en fait, je le connaissais même pas. Je pouvais pas savoir si c'était un gros con ou pas. Il s'est avéré qu'il était russe. Il était de taille moyenne, portait une chemise blanche toute sale à laquelle il manquait un bouton, un jean à dix euros de chez Pantashop et des chaussures brunes informes qui avaient une tronche de rats morts. Il avait les pommettes particulièrement saillantes, et des genres de fentes à la place des yeux. Les fentes, c'était la première chose qui frappait. Ça faisait Mongol. Avec ces yeux en amande, on savait jamais dans quelle direction il regardait. Sa bouche était légèrement échancrée de côté, comme si une cigarette invisible y était plantée. Avant-bras vigoureux, grande cicatrice dessus. Jambes relativement fines. Crâne carré.

Personne ne rigolait. Avec Wagenbach, ça rigolait jamais trop de toute façon, mais là, j'avais le sentiment que même sans Wagenbach, personne n'aurait rigolé. Le Russe était là, ses yeux de Mongol plongés dans le vide. Et il ignorait superbement Wagenbach. Ça, c'était déjà un exploit, d'ignorer Wagenbach. C'était quasi impossible.

– Andrej… a commencé Wagenbach tout en scrutant son bout de papier et en remuant les lèvres en sourdine, Andrej Tsch… Tschicha… tschoroff.

Le Russe a bafouillé quelque chose.

– Pardon ?

– Tschichatschow, a dit le Russe sans un regard pour Wagenbach.

Wagenbach a reniflé d'une seule narine. Une marotte à lui, renifler d'une narine.

– Très bien, Tschitscharoff. Andrej. Peux-tu brièvement nous raconter quelque chose sur toi ? D'où tu viens, dans quelle école tu as été auparavant ?

C'était l'usage. Quand des nouveaux arrivaient dans la classe, il leur fallait raconter d'où ils venaient, etc. Et là, y a eu un premier changement dans le comportement de Tschick. Il a légèrement remué la tête, comme s'il venait à peine de remarquer la présence de Wagenbach ; puis il s'est gratté le cou et s'est de nouveau tourné vers la classe :

– Non.

Quelque part, on a entendu une mouche voler.

Wagenbach a hoché la tête avec gravité et a insisté :

– Tu ne veux pas dire d'où tu viens ?

– Non, a dit Tschick. M'en fous.

– Très bien. Du coup, c'est moi qui vais m'en charger, Andrej. La politesse exige que je te présente à la classe.

Il a regardé Tschick. Et Tschick a regardé la classe.

– Qui ne dit mot consent, je présume ? a dit Wagenbach.

Il avait dit ça sur un ton ironique, comme tous les profs quand ils disent un truc du genre.

Tschick a pas répondu.

– Ou bien tu as quelque chose à objecter ?

– Allez-y, a dit Tschick d'un revers de la main.

Cette fois, on a bel et bien entendu des petits gloussements qui venaient du bloc des filles. « Allez-y ! » C'était
énorme. Il accentuait chaque syllabe, avec un accent très
bizarre. Et il continuait de fixer le mur de derrière. Peut-
être même qu'il avait les yeux fermés, dur de dire. Wagenbach a pris un air qui imposait calme et respect. Alors que
le silence était déjà complet.

– Bon. Votre nouveau camarade s'appelle Andrej Tschicha... schoff, et comme on peut d'ores et déjà le déduire
de son nom, notre hôte vient de loin, pour être précis des
plaines russes infinies, conquises par Napoléon l'heure pré-
cédant les vacances de Pâques – et desquelles, nous allons
le voir, il va être chassé aujourd'hui. Comme Charles XII
avant lui, et Hitler après lui.

Wagenbach a repris son souffle d'une narine. Cette intro-
duction avait laissé Tschick de marbre. Il bronchait pas.

– Toujours est-il qu'Andrej est arrivé en Allemagne il y a
quatre ans avec son frère, et... Tu ne préfères pas raconter
ça toi-même ?

Le Russe a émis un effet sonore non identifié.

– Andrej, je te parle.

– Non, a répondu Tschick. Non, au sens de : je préfère
pas le raconter moi-même.

Gloussements réprimés. Wagenbach a légèrement
hoché la tête.

– Bon, très bien, alors c'est moi qui vais le raconter, si
tu n'as rien contre, ce n'est quand même pas commun.

Tschick a secoué la tête.

– Comment, tu ne trouves pas ça singulier ?

– Non.

– Eh bien, moi, je ne trouve pas ça courant. Et je trouve ça remarquable. Mais bon, pour faire bref : notre ami Andrej vient d'une famille d'origine allemande, mais sa langue maternelle est le russe. C'est un grand éloquent, comme nous le voyons, et pourtant il n'a appris la langue allemande que depuis son arrivée en Allemagne, et mérite de ce fait notre prévenance en termes de... disons dans certains domaines. Il y a quatre ans, il est d'abord allé dans une école d'adaptation, puis on l'a orienté vers une école professionnelle, parce que ses notes le lui permettaient, mais là non plus il n'a pas trouvé son compte. Et le voilà maintenant parmi nous, après une année de transition dans une école technologique. Le tout en quatre ans. C'est correct, jusque-là ?

Tschick a essuyé son nez du revers de la main puis a considéré la main en question.

– À quatre-vingt-dix pour cent, a-t-il répondu.

Wagenbach a attendu quelques secondes que Tschick précise sa pensée. Mais le Russe n'a plus rien dit. Les derniers dix pour cent sont restés inexpliqués.

– Bon, très bien, a dit Wagenbach d'un ton étonnamment aimable. Et maintenant, nous sommes impatients de voir la suite... Malheureusement, aussi sympathique soit-il de discuter avec toi, tu ne peux pas rester indéfiniment debout… C'est pourquoi je te suggérerais d'aller t'asseoir à la table libre, là-bas au fond, c'est d'ailleurs la seule table de libre. OK ?

Tschick s'est traîné comme un robot à travers le couloir central. Tout le monde l'a suivi du regard. Tatiana et Natalie avaient leurs têtes penchées l'une contre l'autre.

– Napoléon ! s'est exclamé Wagenbach.

Puis il a marqué une courte pause artistique, le temps de tirer un paquet de mouchoirs de sa sacoche et de se moucher *in extenso*.

Entre-temps, Tschick était arrivé tout derrière, et du couloir par lequel il était passé s'est mis à flotter une odeur qui m'a scié. Une haleine d'alcool. Bien qu'éloigné de trois places du couloir, j'aurais quand même été en mesure de dresser la liste de tout ce qu'il avait bu ces dernières vingt-quatre heures. C'était l'odeur de ma mère quand elle avait une mauvaise passe. J'ai réfléchi si ç'avait été la raison pour laquelle il avait pas regardé Wagenbach et pas ouvert la bouche. À cause de l'haleine. Mais Wagenbach avait un rhume, il sentait de toute façon que dalle.

Tschick s'est assis à la dernière table libre, tout derrière. C'était Kallenbach, le glandu de la classe, qui s'était mis là le jour de la rentrée. Mais comme il était notoire que Kallenbach faisait son cake à longueur de temps, Mme Pechstein l'avait changé de place le jour même pour l'avoir sous contrôle. Et maintenant, c'était ce Russe qu'était au dernier rang. J'étais probablement pas le seul à me dire : Ça, du point de vue de Pechstein, c'est pas une super chose. C'était un tout autre calibre que Kallenbach, c'était clair et net. On arrêtait pas de se retourner pour le regarder. Après cette prestation avec Wagenbach, on se disait : Il va se passer des tas de trucs, on va bien se marrer.

Et puis en fait, il s'est rien passé du tout. Du reste de la journée. Tschick a été accueilli par chaque prof, à tour de rôle. Il a certes dû épeler son nom chaque fois, mais à part ça, tout est resté calme. Les jours d'après aussi, tout s'est passé normalement, c'était vraiment décevant. Tschick arrivait à l'école sempiternellement affublé de sa chemise en loques. Il participait pas au cours, répondait toujours par « oui » ou « non », ou « sais pas » quand il était sollicité, et ne dérangeait pas. Il n'a sympathisé avec personne, n'a même pas tenté de sympathiser avec qui que ce soit. Il n'a plus senti l'alcool les jours suivants, mais malgré cela, on avait toujours l'impression, quand on lorgnait vers le dernier rang, qu'il était rétamé. À la manière dont il se tenait sur sa chaise, avachi et les yeux en amande, on savait jamais trop : est-ce qu'il dort, est-ce qu'il est bourré ou est-ce qu'il est juste super cool ?

Et puis ça a recommencé à puer l'alcool, environ une fois par semaine. Pas si grave que le premier jour, mais quand même. Dans notre classe, y en avait quelques-uns qui avaient déjà pris une cuite – j'en faisais pas partie d'ailleurs. Mais qu'un type arrive complètement pété à l'école, c'était nouveau. Ces jours-là, Tschick mâchait un chewing-gum à la menthe pourri. Rien qu'à ça, on savait toujours où on en était dans le cycle.

À part ça, on savait pas grand-chose à son sujet. Qu'un type passe de l'école d'adaptation au collège, c'était déjà suffisamment le délire. Et fringué comme ça, en plus. Mais y en avait aussi qui le défendaient, qui pensaient qu'il était pas bête, en réalité.

– Certainement pas aussi gogol que Kallenbach en tous les cas, j'ai prétendu une fois – car j'étais l'un de ceux-là.

Mais pour être honnête, je ne défendais Tschick que parce que Kallenbach était justement à côté et qu'il me soûlait grave. De toute façon, c'était pas à partir des contributions verbales de Tschick qu'on pouvait déduire s'il était bête ou intelligent ou quoi que ce soit entre les deux.

Bien évidemment, des rumeurs circulaient sur lui et son origine. Tchétchénie, Sibérie, Moscou – tout était envisagé. Kevin affirmait que Tschick vivait avec son frère dans un camping-car quelque part derrière Hellersdorf et que son frère était trafiquant d'armes. Un autre savait qu'il était maquereau ; on parlait d'une villa de quarante chambres dans laquelle la mafia russe fêtait ses orgies. Encore un autre prétendait que Tschick habitait dans l'un des HLM dans les environs de Müggelsee. Mais très franchement, ce n'était que des commérages, qui se propageaient uniquement parce que Tschick lui-même ne parlait pratiquement à personne. Et du coup, il est lentement tombé dans l'oubli. Disons : dans la mesure où quelqu'un qui débarque tous les jours dans la même chemise pourrie et le même jean à dix euros et qui est assis à la place du glandu de la classe peut tomber dans l'oubli. Au moins, les chaussures avec les cadavres de rats ont fini par être remplacées par des Adidas blanches, dont quelqu'un a tout de suite su qu'elles venaient d'être volées. Mais le nombre de ragots n'a pas pris en ampleur. On s'est contentés d'inventer le surnom « Tschick » ; et pour tous ceux qui trouvaient ça trop simple, il s'appelait « le promu ». Mais on en avait fini avec la thématique russe. Du moins dans notre classe.

Sur le parking du collège, ça a pris un peu plus de temps. Le matin, y avait des lycéens sur ce parking ; certains d'entre eux avaient déjà des voitures, et ils trouvaient ce Mongol super captivant. C'était des types qu'avaient redoublé genre cinq fois ; ils s'adossaient à la portière ouverte de leur voiture pour que ce soit bien clair pour tout le monde qu'ils étaient les propriétaires de ces brouettes tunées. Et ils se foutaient de la gueule de Tschick. « Alors, Ivan, encore bourré ? » Et ça tous les matins. Surtout un type avec une Ford Fiesta jaune. Pendant longtemps, j'ai pas su si Tschick captait que c'était de lui qu'ils se moquaient. Et puis une fois, j'étais en train d'attacher mon vélo, j'ai entendu les grands parier si Tschick parviendrait ou non à passer la porte d'entrée de l'école, vu comme il titubait – ils ont dit : « Vu comme il titube, ce Mongol de mes deux. » Et là, Tschick s'est arrêté, il est retourné sur le parking, vers les gars qui avaient tous une tête et quelques années de plus que lui. Ils se sont mis à se marrer, genre : Vise le Russe qui débarque. Mais Tschick les a snobés ; il est allé direct vers le type avec la Ford. Il a posé sa main sur la portière et lui a parlé si doucement que personne n'a entendu ce qu'il disait. Le sourire du type s'est lentement effacé de son visage. Et Tschick s'en est retourné en direction du collège. De ce jour-là, ils ont plus jamais rien dit sur son passage.

Bien sûr, j'avais pas été le seul à assister à la scène. Après ça, les rumeurs n'ont plus cessé de courir, genre la famille de Tschick était vraiment dans la mafia russe – le truc, c'est que personne ne pouvait imaginer qu'il ait réussi à démonter le gland Fordé en trois phrases. Mais c'était logiquement n'importe quoi. La mafia ! Du grand n'importe quoi. C'est du moins ce que je croyais.

10

Deux semaines plus tard, on nous a rendu le premier contrôle de maths. Strahl commençait toujours par écrire la fourchette des notes au tableau, histoire de nous faire peur. Cette fois, fait exceptionnel, y avait un vingt sur vingt. La phrase préférée de Strahl, c'était : Des vingt, il n'y en a que pour le bon Dieu. Damned. Mais bon, Strahl était prof de maths et donc complètement siphonné. Y avait deux notes entre quinze et dix-huit, des tas de dix/douze, pas de note du genre huit/neuf – mais un deux sur vingt. J'espérais un peu pour le vingt ; les maths, c'était la seule matière où de temps en temps, je faisais un carton. En fait, j'ai eu quinze. C'était déjà ça. Avec Strahl, un quinze, ça valait presque vingt. Je me suis retourné discrètement, pour voir d'où allait venir le cri de jubilation pour le vingt. Mais personne n'a jubilé. Ni Lukas ni Kevin, ni les autres cracks des maths. En revanche, Strahl a pris le dernier devoir et l'a personnellement remis à Tschichatschow au dernier rang. Tschick mâchonnait furieusement son chewing-gum à la menthe. Il n'a pas daigné regarder Strahl ; il s'est contenté d'arrêter de mâcher et de respirer. Strahl s'est penché vers lui, les lèvres humectées.

– Andrej.

Presque pas de réaction. Un imperceptible mouvement de tête, comme le gangster du film qui entend le clic de la gâchette derrière lui.

– Ton devoir… Je ne sais pas ce que c'est, a dit Strahl en s'appuyant d'une main sur la table de Tschick. Si vous n'avez pas vu ça dans ton ancienne école, il faut que tu rattrapes. Tu n'as pas du tout… Tu n'as même pas essayé. Ce qui est écrit là…

Strahl a feuilleté le devoir. Il avait baissé la voix, mais on pouvait toujours entendre ce qu'il disait :

– Ces plaisanteries, là… Si vous ne l'avez pas fait, j'en tiens compte, bien sûr. Il fallait bien que je mette une note, mais le deux, c'est entre parenthèses pour ainsi dire. Je propose que tu t'adresses à Lukas ou à Kevin. Emprunte-leur leurs cahiers, regarde ce qu'on a fait ces deux derniers mois. Et va les voir si tu as des questions. Parce que sinon, ça va être compliqué, ici au collège.

Tschick a hoché la tête, d'un air incroyablement compréhensif, et puis c'est arrivé : il est tombé de sa chaise, direct aux pieds de Strahl. Strahl a tressailli, Patrick et Julia se sont levés d'un bond. Tschick gisait là, sur le sol, comme mort.

On savait ce Russe capable de bien des choses, mais on s'attendait pas à ce qu'il bascule sentimentalement de sa chaise à cause d'un deux en maths. Ceci dit, il s'est vite avéré que ce n'était pas du tout sentimental. Il n'avait rien mangé de la matinée – et qu'il soit rond, c'était clair. Au secrétariat, il a dégueulé dans l'évier jusqu'à ras bord, et puis il a été raccompagné chez lui.

On peut pas dire que sa réputation s'en soit trouvée grandement améliorée. On a jamais bien su ce qu'il avait écrit, comme blagues, dans son devoir de maths, et je sais plus non plus qui avait eu vingt. Mais ce dont je me souviens et que j'oublierai sans doute jamais, c'est la tronche de Strahl au moment où le Russe lui dégringole sur les pompes. Vieille canaille.

Le truc déconcertant dans toute cette histoire, c'est pas tant que Tschick soit tombé de sa chaise ou ait eu deux en maths. Le truc déconcertant, c'est qu'il se soit payé un seize trois semaines plus tard. Et puis après encore un six. Et puis de nouveau seize. Strahl en pétait presque un câble. Il faisait ses commentaires débiles du genre : « Bonne progression ! », et « Continue comme ça ! », mais n'importe quelle ardoise aurait vu que les seize n'avaient rien à voir avec le fait que Tschick ait rattrapé les cours ou non. Ça avait juste à voir avec le fait que des fois il était bourré, et des fois non.

Lentement, les profs aussi ont fini par piger le truc, quand même. Y a eu des fois où Tschick a été rappelé à l'ordre et renvoyé à la maison. Ils ont eu des entretiens en privé avec lui et tout. Mais dans un premier temps, à vrai dire, l'école n'a pas entrepris grand-chose. Après tout, Tschick avait un background difficile, disait-on. Et puis après l'enquête PISA sur les écoles, tout le monde voulait prouver que même les Russes asociaux et alcoolos avaient leur chance dans un collège allemand. Du coup, y a pas vraiment eu de représailles. Au bout d'un moment, la situation a fini par se calmer. Certes, on savait toujours pas vraiment ce qu'il trafiquait, ce Russe. Mais il parvenait tant bien que mal à suivre dans la plupart des matières. Il mâchonnait de moins en moins de chewing-gums à la menthe en cours. Et il ne dérangeait presque plus. S'il n'avait pas eu de temps en temps ses petits coups de chaud, on en aurait peut-être même oublié qu'il était là.

11

– « Un homme qui n'avait pas vu monsieur K. depuis longtemps le salua dans ces termes : "Vous n'avez pas du tout changé." – "Oh", dit monsieur K. en devenant tout pâle. » En voilà une histoire agréablement brève !

Kaltwasser a ouvert le tableau au passage, puis il a ôté sa veste et l'a jetée sur sa chaise. Kaltwasser, c'est notre prof d'allemand, il entre toujours dans la classe sans dire bonjour – ou du moins on l'entend pas dire bonjour, parce qu'il commence son cours avant même d'avoir passé la porte. Kaltwasser, je dois avouer que c'est un mystère pour moi. Il est le seul avec Wagenbach à faire un cours potable ; mais tandis que Wagenbach est un gros salaud, je veux dire humainement, Kaltwasser, on le cerne pas. Ou disons : moi, je le cerne pas. Il rentre comme un robot, se met à parler pendant quarante-cinq minutes, et puis il se casse. Et tu sais pas ce que t'es censé en penser. Par exemple, je pourrais pas dire comment il est, en privé.

Je pourrais même pas dire si je le trouve sympa ou non. Les autres s'accordent à dire que Kaltwasser est à peu près aussi avenant qu'un tas de merde congelé, mais moi, je sais pas. Je pourrais même imaginer qu'à sa manière, il soit tout à fait potable, en dehors de l'école.

– Agréablement brève, a-t-il répété. Et certains d'entre vous ont sûrement pensé : Du coup, moi aussi je peux faire bref, pour l'interprétation. Et puis vous vous êtes sans doute rendu compte que ce n'était pas si simple. Ou bien est-ce que quelqu'un a trouvé ça facile ? Qui veut lire son texte ? Des volontaires ? Allez. Le dernier rang me sourit, là.

On a suivi le regard de Kaltwasser vers le fond de la classe. Tschick avait posé sa tête sur la table ; on pouvait pas vraiment distinguer s'il était plongé dans son livre ou s'il dormait. C'était le dernier cours de la matinée.

– Monsieur Tschischatschoff, je vous prie ?

– Quoi ?

La tête de Tschick s'est lentement redressée. Vouvoiement ironique. Là, déjà, le gros voyant rouge clignote grave.

– Monsieur Tschischatschoff, êtes-vous avec nous ?

– Fidèle au poste.

– Avez-vous fait vos devoirs ?

– Bien sûr.

– Auriez-vous la bonté de nous les lire ?

– Heu... Oui.

Tschick a rapidement inspecté son bureau et a fini par découvrir son sachet en plastique sur le sol. Il l'a hissé jusqu'à lui pour y chercher son cahier. Comme d'hab, il avait pas sorti ses affaires en début de cours. Il a tiré plusieurs cahiers de son sac. Il avait manifestement des difficultés à identifier le bon.

– Si tu n'as pas fait tes devoirs, dis-le.

– Si, si, j'ai fait mes devoirs... Mais qu'est-ce que j'en ai fait ? Qu'est-ce que j'en ai fait ?

Il a fini par poser l'un des cahiers sur la table et a commencé de le feuilleter après avoir rangé les autres.

– Là, c'est là. Est-ce que je peux lire ?

– C'est ce que je te *demande* de faire.

– Bon, je commence. C'était sur l'histoire de monsieur K. Je commence. « Interprétation de l'histoire de monsieur K. » La première question qu'on se pose, quand on lit le poème de Precht, est logique...

– Brecht, a dit Kaltwasser. Bertolt Brecht.

– Ah.

Tschick a pêché un pauvre stylo-bille de son sachet en plastique et a gribouillé quelque chose dans son cahier. Et puis il a remis le stylo dans le sachet. « Interprétation de l'histoire de monsieur K. La première question qu'on se pose, quand on lit le poème de Brecht, est logique : qui donc se dissimule derrière la mystérieuse lettre K ? Il n'est pas exagéré d'affirmer qu'il s'agit d'un homme qui redoute la lumière du grand jour. Il se dissimule derrière une lettre majuscule, en l'occurrence la lettre K, la onzième de l'alphabet. Pourquoi se dissimule-t-il ? Le fait est que monsieur K est trafiquant d'armes de profession. Avec l'aide d'autres sinistres individus (messieurs L et F), il a monté une organisation criminelle qui se rit de la convention de Genève. Il a vendu des panzers et des avions, a fait des milliards, et cela fait belle lurette qu'il ne met plus les mains dans le cambouis. Il préfère se prélasser sur son yacht en mer Méditerranée. Mais la CIA a retrouvé sa trace. En conséquence de quoi, monsieur K. a pris la fuite pour l'Amérique du Sud et a changé de visage sous le bistouri du célèbre docteur M. Il se trouve à présent surpris par quelqu'un qui le reconnaît dans la rue : il pâlit. Il va de soi que l'homme qui l'a reconnu dans la rue a été retrouvé en compagnie du chirurgien esthétique au fin fond de la mer, un boulet au pied. Fin de l'interprétation.

J'ai jeté un coup d'œil à Tatiana. Elle mâchonnait un crayon à papier, les sourcils froncés. Et puis je me suis retourné vers Kaltwasser. Son visage ne laissait absolument rien transparaître. Il paraissait légèrement tendu, mais plutôt dans le sens intéressé. Ni plus ni moins. Il n'a pas donné de note. Dans la foulée, ç'a été au tour d'Anja, qui a lu la bonne interprétation – celle qu'on trouve aussi dans Google. Y a encore eu une discussion interminable quant à savoir si Brecht avait oui ou non été communiste, et puis le cours était fini. Et ça, c'était juste avant les grandes vacances.

12

Mais d'abord, faut que je raconte l'anniversaire de Tatiana.

L'anniversaire de Tatiana tombe au beau milieu des grandes vacances. Cette année, Tatiana avait l'intention d'organiser une énorme giga soirée. Longtemps à l'avance, elle avait annoncé qu'elle allait fêter ses quatorze ans à Werder, au sud-ouest de Berlin ; tout le monde allait être invité, on allait même y dormir, et tout et tout. Elle avait fait le tour de ses meilleures amies pour être sûre qu'elles pourraient venir ; et comme Natalie partait avec ses parents, la soirée avait été avancée au deuxième jour après le début des vacances. C'est la raison pour laquelle tout avait été annoncé si tôt.

Cette maison à Werder donne directement sur le lac. Elle appartient à un oncle de Tatiana ; il voulait la lui prêter, pour ainsi dire. Y aurait aucun autre adulte, on pourrait faire la fête toute la nuit. On devait juste apporter notre sac de couchage.

Dans la classe, on parlait que de ça depuis des semaines. Moi, j'avais commencé de me figurer l'oncle en pensée. Je sais plus très bien pourquoi il me fascinait tant, cet oncle ; je devais me dire qu'il était intéressant, puisqu'il laissait sa maison à Tatiana juste comme ça. En plus, il était parent avec elle. En tout cas, j'étais hyper content de faire sa connaissance. Je me voyais déjà dans son salon, au coin du feu, en train d'avoir une conversation très chicos avec lui – je savais même pas s'il y avait une cheminée, dans cette baraque. Mais j'étais pas le seul à être surexcité à l'idée de cette soirée. À en juger aux petits mots qu'elles s'envoyaient pendant les cours, Julia et Natalie réfléchissaient déjà à ce qu'elles pourraient bien offrir à Tatiana – faut dire que je suis sur leur ligne directe de communication. Moi aussi, bien sûr, j'étais obnubilé par cette histoire de cadeau. Je me creusais la tête pour savoir ce que j'allais lui offrir pour son anniversaire. Julia et Natalie avaient opté pour le dernier CD de Beyoncé, ça au moins c'était clair. Julia avait fait passer à Natalie une liste du genre :

- Beyoncé
- Pink
- le collier avec [illisible]
- on attend encore

Et Natalie avait fait sa croix tout en haut. Tout le monde savait que Tatiana était fan de Beyoncé. Ce que je trouvais légèrement problématique, d'ailleurs ; parce que moi, je trouvais Beyoncé nulle à chier. Du moins sa musique. Mais bon, au moins, la chanteuse était carrément canon, elle ressemblait même un petit peu à Tatiana. Du coup, j'ai fini par plus trouver Beyoncé si nulle. Au contraire, j'ai commencé à bien l'aimer. Et même sa musique, d'un coup, j'ai commencé à bien l'aimer. Non, c'est pas vrai : j'ai commencé à trouver sa musique *géniale*. Je me suis même acheté les deux derniers CD ; je les écoutais en boucle en pensant à Tatiana et au cadeau avec lequel j'allais me pointer à son anniversaire. Je pouvais en aucun cas lui offrir un truc de Beyoncé. Cette idée, il devait y en avoir au moins trente autres à l'avoir eue, en plus de Julia et Natalie. Et à la fin, Tatiana allait se retrouver avec trente CD de Beyoncé, et elle n'aurait plus qu'à en échanger vingt-neuf. Non, je voulais lui offrir quelque chose d'original. Et j'ai su quoi au moment même où cette liste de cadeaux est passée par moi.

Je suis allé dans un grand magasin pour y acheter un magazine de mode assez chérot avec la tête de Beyoncé dessus, et j'ai commencé de dessiner. À l'aide une règle, j'ai tracé des traits au crayon qui scindaient le visage à intervalles réguliers, dans sa verticale et son horizontale, jusqu'à ce que de petits carrés recouvrent l'ensemble de la photo. Ensuite, j'ai pris une énorme feuille de papier et j'y ai formé des carrés cinq fois plus gros. C'est une méthode que j'ai apprise d'un livre, *Maîtres anciens,* ou un truc dans le genre. De cette manière, on peut reproduire un petit dessin en assez grand, il suffit de reporter l'image carré par carré. On pourrait aussi le mettre à la photocopieuse, bien sûr. Mais je voulais que ce soit dessiné. Je voulais qu'on voie le mal que je m'étais donné. Parce que quand quelqu'un remarque le mal que tu t'es donné, il imagine le reste. Pendant des semaines, j'ai travaillé à ce dessin. Je travaillais vraiment dur. Juste au crayon. Et je perdais de plus en plus la boule parce que je faisais que penser à Tatiana et à son anniversaire et à cet oncle ultra sympathique avec qui j'allais mener de spirituelles conversations au coin du feu.

Et s'il y a plein de choses où je suis nul, dessiner je sais faire. À peu près comme le saut en hauteur. Si le saut en hauteur et la représentation picturale de Beyoncé étaient les disciplines les plus importantes en ce bas monde, je serais loin devant. Sérieux. Malheureusement, personne ne s'intéresse au saut en hauteur, et pour le dessin aussi j'ai de vieux doutes. Après quatre semaines de dur labeur, Beyoncé ressemblait presque à une photo, une énorme Beyoncé au crayon avec les yeux de Tatiana. Et j'aurais été le gars le plus heureux de l'univers si en plus, j'avais reçu une invitation pour la soirée de Tatiana. Mais j'en ai pas reçu.

C'était le dernier jour de classe. J'étais un peu nerveux parce que toute cette histoire de soirée flottait sans arrêt dans l'air. Tous parlaient de Werder, mais aucune invitation n'avait encore été distribuée – du moins j'en avais pas vu. Et on savait pas du tout où la soirée aurait lieu exactement ; Werder, c'est pas non plus minuscule. Depuis longtemps, j'avais le plan de la ville en tête, et je pensais que Tatiana, d'une manière ou d'une autre, allait nous donner des indications le dernier jour de classe. Mais ça s'est pas passé comme ça.

Au lieu de ça, j'ai vu, fichée dans la trousse d'Arndt, qui est assis deux rangs devant moi, une petite carte verte. C'était en cours de maths. Arndt a montré la petite carte verte à Kallenbach et Kallenbach a froncé les sourcils, et j'ai vu qu'au milieu de la petite carte verte, y avait un plan de rues. Et puis j'ai remarqué que tout le monde avait cette petite carte verte. Presque tout le monde. Kallenbach devait pas en avoir non plus, vu son air ahuri – ceci dit, il a toujours l'air ahuri, vu comme il est con. C'est probablement la raison pour laquelle il a pas été invité, d'ailleurs. Kallenbach s'est penché à fond sur ce qui était écrit – il est myope et pour une raison quelconque ne met jamais de lunettes –, et Arndt lui a arraché le truc des mains et l'a remis dans sa trousse. Il s'est avéré plus tard que Kallenbach et moi n'étions pas les seuls à pas avoir eu d'invitation. Le nazi n'en avait pas non plus, Tschichatschow non plus, et puis un ou deux autres. Logique. Les chiants et les cas sociaux étaient pas invités. Les Russes, les nazis et les gogols. Et j'avais pas à réfléchir longtemps pour savoir dans quelle catégorie j'entrais aux yeux de Tatiana, vu que j'étais ni russe ni nazi.

Mais à part ça, toute la classe était invitée en gros, et puis la moitié de l'autre classe de quatrième, et à tous les coups des centaines d'autres. Et moi, j'étais pas invité.

Jusqu'à la dernière heure de cours et même après la remise des bulletins, j'espérais encore. J'espérais que c'était qu'une erreur, qu'après la sonnerie Tatiana allait venir vers moi et me dire : « Mon Dieu, Psycho, j'allais t'oublier ! Tiens, la petite carte verte ! J'espère que t'as le temps, je serais trop dégoûtée que juste toi, tu puisses pas venir – et t'as pensé à mon cadeau, j'espère ? Ben bien sûr, on peut compter sur toi ! Alors, à toute, je suis trop contente que tu viennes ! Un peu plus et je t'oubliais, mon Dieu ! »

Et puis la cloche a sonné. Tout le monde est parti. J'ai rangé mes affaires tout lentement, minutieusement, histoire de laisser à Tatiana la possibilité de remarquer son oubli.

Dans les couloirs, y avait plus que les gros et les têtes qui discutaient notes et qui déconnaient. À la sortie – vingt mètres après la sortie –, quelqu'un m'a tapoté l'épaule et m'a lancé : « Elle est trop canon, ta veste ! » C'était Tschick. Quand il souriait, on voyait deux grosses rangées de dents, et ses yeux en amande étaient encore plus étroits que d'habitude.

– Je te l'achète. La veste. Attends voir.

J'ai pas attendu voir, mais je l'ai entendu me suivre.

– C'est ma veste préférée, j'ai dit. Elle est pas à vendre.

J'avais découvert cette veste dans un magasin de fripes et je l'avais achetée pour cinq euros. C'était vraiment ma veste préférée. Un truc chinois à la con, avec un motif de dragon blanc au niveau de la poitrine qui faisait super cheap. Mais vachement cool aussi. La veste idéale pour les cas sociaux de service, en somme. Et c'est pour ça que je l'aimais bien : avec cette veste, on voyait pas du premier coup que j'étais riche, lâche, inoffensif. Tout le contraire d'un cas social.

– Où est-ce que tu l'as trouvée ? Hé, tu m'attends ? Tu vas où comme ça ?

Il hurlait à travers la cour et avait l'air de trouver ça drôle. Comme si on lui avait donné autre chose que de l'alcool. J'ai pris la Weidengasse.

– Tu redoubles ou quoi ?

– Pourquoi tu hurles comme ça ?

– Tu redoubles ?

– Non.

– T'as l'air.

– De quoi ?

– De quelqu'un qui redouble.

Qu'est-ce qu'il me voulait, à la fin ? Je me suis surpris en train de penser que Tatiana avait bien fait de pas l'inviter.

– T'as plein de huit dans ton bulletin, alors.

– Aucune idée.

– Comment ça, aucune idée ? Si je te soûle, fais-moi signe.

Comment ça, je lui fais signe s'il me soûle ? Et après je m'en prends une dans la tronche, c'est ça ?!?

– Je sais pas.

– Tu sais pas si je te soûle ?!

– Si j'ai eu des huit.

– Sans déconner ?

– J'ai pas encore regardé.

– Ton bulletin ?

– Non.

– T'as pas encore regardé ton bulletin ?!

– Non, j'te dis !

– Sérieux ? T'as reçu ton bulletin et t'as pas regardé dedans ? Ouah, cool.

Il me collait aux basques et brassait l'air en parlant. À mon grand étonnement, il était pas plus grand que moi. Juste plus balèze.

– Tu vends pas ta veste, alors ?

– Non.

– Et tu fais quoi, maintenant ?

– Je rentre.

– Et après ?

– Rien.

– Et encore après ?

– Ça te regarde pas pour deux merdes.

Maintenant que j'avais compris qu'il voulait pas m'entuber, j'avais tout de suite plus de courage. C'est toujours comme ça, malheureusement. Quand les gens sont odieux, je suis tellement nerveux que je peux à peine marcher. Mais s'ils deviennent un tant soit peu gentils, je les rembarre.

Tschick m'a suivi en silence une centaine de mètres encore, puis il m'a tiré par la manche. Il a répété que ma veste était canon avant de prendre le large. Je l'ai vu traverser les champs en direction des HLM, le pas lourd, le sachet en plastique qui lui servait de sac de cours suspendu à son épaule droite.

13

Au bout d'un moment, je me suis arrêté et me suis affalé sur le bord du trottoir. J'avais pas envie de rentrer chez moi. Je voulais pas que ce soit un jour comme tous les autres. C'était un jour particulier. Un jour particulièrement merdique. J'ai mis trois plombes avant d'arriver à la maison.

Quand j'ai ouvert la porte, y avait personne. Juste un mot sur la table : *Le repas est dans le frigo.* J'ai défait mon sac et j'ai jeté un bref coup d'œil à mon bulletin de notes. Puis j'ai mis le CD de Beyoncé et je me suis glissé sous ma couette. J'arrivais pas à déterminer si la musique me consolait ou si elle me déprimait encore plus. Je crois bien qu'elle me déprimait encore plus.

Quelques heures plus tard, je suis retourné au collège récupérer mon vélo. Sérieux, j'avais oublié mon vélo. Certes, ça me prend, parfois, de faire les deux kilomètres à pied. Mais ce jour-là, j'y étais pas allé à pied. J'étais juste tellement absorbé dans mes pensées quand Tschick avait commencé de me baratiner que j'avais tout simplement déverrouillé et reverrouillé mon vélo avant de partir à pied. Damned.

Pour la troisième fois de la journée, je suis passé devant la grande colline de sable où y a l'aire de jeux avec le terrain vague. Je me suis assis tout en haut de la tour d'Indiens. C'est une énorme tour en bois flanquée d'un château fort, où les enfants sont censés jouer aux cow-boys et aux Indiens – si tant est qu'il y ait des enfants dans le coin, parce que des enfants, j'en ai encore jamais vu par ici. Jamais d'ado ni d'adulte non plus. Même les junkies y passent pas leurs nuits. Y a que moi à m'asseoir parfois en haut de la tour, là où personne ne me voit quand je suis dans un état proche de la merde. À l'est se dressent les hautes barres d'immeubles de Hellersdorf ; au nord, la Weidengasse serpente derrière les buissons ; un peu plus loin encore, on aperçoit une colonie de jardins d'ouvriers. Mais autour de l'aire de jeux, y a rien d'autre qu'un immense terrain vague. À l'origine, c'était des terrains constructibles ; il était question d'y construire des maisons individuelles. Sur le bord de la route, on voit encore un grand panneau renversé en train de s'effriter : cubes blancs aux toits rouges, arbres tout ronds, et à côté l'inscription : *96 maisons individuelles en construction.* En bas, il est fait mention de placements rentables. Et tout en bas, on lit aussi : *Klingenberg Immobilier.*

Mais un jour, trois insectes en voie de disparition ont été découverts sur ce terrain vague, ainsi qu'une grenouille et un brin d'herbe rare. Depuis, les écolos font des procès aux investisseurs immobiliers et réciproquement ; et de constructible, le terrain est devenu vague. Les procès durent depuis dix ans et, à en croire mon père, ils vont durer encore dix ans, parce que les fascistes écolos seront toujours des fascistes écolos. Fascistes écolos, c'est le mot de mon père, même si entre-temps, il a laissé tomber l'adjectif « écolo ». Ces procès l'ont ruiné ; un quart des terrains constructibles lui appartenait, et avec ce quart il s'est mis procès et merde au cul. Si un étranger avait écouté les conversations qui avaient cours chez nous pendant le déjeuner, il aurait rien bité. Pendant des années, mon père n'a parlé que de merdes, de branleurs et de fascistes. Longtemps, j'ai pas eu conscience des pertes qu'il avait subies et des répercussions que ça allait avoir sur nous. J'ai toujours cru que mon père parviendrait à se sortir des procès et de cette affaire, et peut-être lui-même l'a cru, au départ. Et puis il a fini par jeter l'éponge et vendre ses parts. Il a encaissé des pertes colossales, mais il était d'avis que ç'aurait été pire s'il avait continué de faire des procès. Il a donc vendu ses parts aux « branleurs » bien en deçà de leur valeur. Le mot « branleurs » désigne ses collègues, à présent. Ceux qui ont continué de faire des procès.

Tout ça, c'était y a un an et demi ; six mois plus tard, on a compris que c'était le début de la fin. Pour récupérer les pertes de la Weidengasse, mon père a spéculé en Bourse, et maintenant on est en faillite totale, les vacances ont été sucrées, et la maison qui nous appartient ne nous appartient probablement plus depuis longtemps. Dixit mon père. Et tout ça à cause de trois chenilles et d'un brin d'herbe.

Le seul truc qui soit resté de cette histoire, c'est l'aire de jeux qui avait été construite dès le début, pour suggérer que Marzahn était un quartier ami des enfants. En vain, malheureusement.

Bon, OK, j'avoue : y a une autre raison pour laquelle je suis branché sur cette aire de jeux. C'est qu'en fait, de là-haut, on voit aussi deux immeubles blancs derrière la colonie de jardins d'ouvriers, entre les arbres. Et Tatiana habite dans l'un d'entre eux. Je n'ai certes jamais su où exactement, mais y a une petite fenêtre, en haut à gauche, où s'allume une lumière verte, au crépuscule ; et pour une raison quelconque, je me suis toujours figuré que c'était la chambre de Tatiana. Et du coup, je reste parfois assis là, en haut de la tour d'Indiens, à attendre la lumière verte. Quand je rentre de l'entraînement de foot ou des cours l'après-midi. Je scrute alors à travers les planches, tout en gravant des lettres dans le bois avec ma clé de maison. Quand la lumière s'allume, ça me fait chaque fois chaud au cœur ; quand elle s'allume pas, c'est l'énorme déception.

Mais ce jour-là, il était encore trop tôt. J'ai pas attendu, et j'ai pris le chemin de l'école. J'ai trouvé mon vélo, tout seul et abandonné, au beau milieu de l'immense parking.

Au mât, le drapeau de l'école flottait d'un air las. Y avait plus personne dans l'immeuble. Seul le gardien, un peu plus loin derrière, tractait deux sacs-poubelles en direction de la rue. Une décapotable a gondolé devant moi, ronflant de musique hip-hop turque. Et ça allait être comme ça tout le reste de l'été. Six semaines sans école. Six semaines sans Tatiana. Je me voyais déjà pendouillant au bout d'une corde du haut de la tour d'Indiens.

De retour à la maison, je savais pas quoi faire. J'ai essayé de réparer le phare de mon vélo qu'était cassé depuis longtemps, mais j'avais pas les pièces de rechange. J'ai mis un CD de Survivor et j'ai commencé à changer les meubles de ma chambre de place. J'ai mis le lit devant et le bureau derrière. Puis je suis redescendu, et j'ai une nouvelle fois tenté de bricoler mon phare, mais c'était désespéré – du coup, j'ai envoyé balader les outils qui ont atterri dans les fleurs, et je suis remonté. Je me suis jeté sur mon lit et je me suis mis à crier. C'était le premier jour des vacances, et j'étais déjà en train de péter les plombs, en gros. Au bout d'un moment, j'ai fini par ressortir le dessin de Beyoncé. Je l'ai contemplé longuement avant de le déchirer. Lentement. J'en étais au front lorsque je me suis arrêté et que j'ai éclaté en sanglots. Ensuite, je sais plus. Je sais juste que j'ai fini par quitter la maison et que je me suis mis à courir. Vers la forêt, en haut de la colline. J'ai commencé à faire un jogging. Pas un vrai jogging, j'avais pas d'affaires de sport sur moi, mais j'ai rattrapé environ vingt joggeurs à la minute. J'ai traversé la forêt en courant et en hurlant ; et tous les autres, là, qui faisaient leur jogging dans la forêt, me tapaient à fond sur le système parce qu'ils m'entendaient. Et quand en plus de tout j'en ai croisé un qui faisait mumuse avec ses bâtons de ski à la con, j'ai failli lui en foutre un dans le cul.

Une fois à la maison, j'ai passé des heures sous la douche. Après ça, je me suis senti un peu mieux, genre comme un naufragé qui divague pendant des semaines sur l'Atlantique, et un jour y a un bateau de croisière qui passe, quelqu'un lui jette une canette de Red Bull, et le bateau poursuit son chemin. Comme ça en gros.

En bas, la porte d'entrée s'est ouverte.

– Qu'est-ce que c'est que cette panique dehors ? a hurlé mon père.

J'ai essayé de l'ignorer, mais c'était pas évident.

– C'est censé rester là, ce foutoir ?

Il voulait dire les outils. Du coup, je suis redescendu, après un bref coup d'œil à la glace pour voir si j'avais toujours les yeux rouges. Quand je suis arrivé en bas, y avait un chauffeur de taxi devant la porte qui se grattait l'entrejambe.

– Monte prévenir ta mère que le taxi est arrivé, a dit mon père. Est-ce que tu lui as déjà dit au revoir, au moins ? T'y as même pas pensé, pas vrai ? Allez, vas-y ! Vas-y !

Il m'a poussé dans l'escalier. J'étais furieux. Mais mon père avait malheureusement raison. J'avais complètement oublié, pour ma mère. Je l'avais toujours bien eu en tête, les jours précédents, mais ce jour-là, dans l'agitation, j'avais oublié : ma mère partait de nouveau pour quatre semaines à la clinique.

Elle était assise dans sa chambre, devant le miroir, vêtue d'un manteau de fourrure. Elle avait une dernière fois fait le plein, à fond les ballons. À la clinique, il allait plus rien y avoir. Je l'ai aidée à se relever, et j'ai porté sa valise dans l'escalier. Mon père a amené la valise jusqu'au taxi, et sitôt la voiture partie, il a immédiatement appelé ma mère, genre comme s'il se faisait un sang d'encre à son sujet. Mais il s'est vite avéré que c'était pas du tout le cas. Ma mère n'était pas partie depuis une demi-heure que mon père s'est ramené dans ma chambre. Il avait son visage de teckel, celui qui veut dire : « Je suis ton père. Et il faut que je te parle de quelque chose d'important. Quelque chose qui n'est agréable ni pour toi ni pour moi. »

Il m'avait regardé comme ça il y a quelques années, quand il s'était mis en tête de me parler de sexe. Et c'est comme ça qu'il m'a regardé quand, prétextant une vague d'allergie au poil de chat, il a bazardé non seulement notre chat, mais aussi mes deux lapins et ma tortue dans le jardin.

– Je viens d'apprendre que j'ai un rendez-vous professionnel, a-t-il dit.

Genre comme si c'était lui, le plus déconcerté par la nouvelle. Gros sillons de teckel sur le visage. Il a un peu tourné autour du pot, mais en fait le plan était très simple.

Le plan, c'était qu'il voulait me laisser seul une quinzaine de jours.

J'ai fait une tête genre comme si je devais vachement réfléchir si oui ou non j'allais parvenir à surmonter cette fâcheuse nouvelle. Est-ce que j'allais y arriver ? Quinze jours seul dans cet environnement hostile avec piscine, clim, service de livraison pizza et vidéoprojecteur ? Oui, OK, j'ai acquiescé d'un air chagrin, j'allais essayer, oui, j'allais sans doute survivre.

Le visage de teckel ne s'est que brièvement détendu. Visiblement, j'en avais fait un peu trop.

– Pas de conneries ! Ne t'imagine pas que tu puisses foutre le bazar. Je te laisse deux cents euros, là, ils sont déjà en bas, dans la coupelle, et s'il y a quoi que ce soit, tu appelles immédiatement.

– À ton rendez-vous professionnel.

– Oui, à mon rendez-vous « professionnel ».

Il m'a jeté un regard furibond.

L'après-midi, il a encore passé des appels prétendu-ment inquiets à ma mère, et pendant qu'il était encore au téléphone avec elle, son assistante est arrivée pour passer le prendre. Je suis tout de suite descendu pour vérifier si c'était toujours la même. Le truc, c'est que cette assistante, elle est carrément canon. Elle a que quelques années de plus que moi, genre dix-neuf ans environ. Et elle se marre tout le temps. Elle rigole vachement. Je l'ai rencontrée la première fois il y a deux ans, lors d'une visite au bureau de mon père. Elle s'était tout de suite mise à me caresser les cheveux en rigolant, pendant que je posais à tour de rôle le côté droit de mon visage, puis le gauche, puis mes mains et mes pieds nus sur la photocopieuse. Mais là, malheureusement, elle ne m'a pas caressé les cheveux.

Elle est descendue de voiture, simplement vêtue d'un short et d'un pull-over extra moulant. Il ne subsistait aucun doute sur la nature du rendez-vous professionnel. Le pull-over était tellement moulant qu'en gros, on pouvait voir tous les détails. Je trouvais cependant OK que mon père essaie même pas de me rouler. À vrai dire, il n'en avait nul besoin. Entre mes parents, tout était clair, ma mère savait ce que mon père trafiquait. Et sinon, quand ils étaient seuls, ils s'engueulaient.

Ce que j'ai longtemps pas compris, c'est pourquoi ils divorçaient pas. Pendant un moment, je me suis figuré que la raison, c'était moi. Ou l'argent. Et puis j'ai fini par conclure qu'ils aimaient bien s'engueuler. Qu'ils aimaient bien être malheureux. J'avais lu ça quelque part dans un magazine : qu'il y a des gens qui aiment bien être malheureux. Disons : qui sont heureux d'être malheureux. Je dois avouer que j'ai pas complètement pigé le truc. Pour une part oui, mais pour une autre non.

J'ai pas de meilleure explication, pour mes parents. J'y ai vraiment beaucoup réfléchi, j'ai fini par en choper une migraine, à force de réfléchir. Un peu comme quand on regarde des images en 3D, où il faut loucher sur une espèce de motif, et tout d'un coup, on voit un machin invisible. Les autres, ils y arrivent toujours mieux que moi, chez moi ça marche presque pas. Et à chaque fois, au moment même où je finis par voir le machin invisible – la plupart du temps c'est une fleur, ou un chevreuil, ou un truc dans le genre –, il disparaît tout aussi sec, et je chope la migraine. Eh ben, quand je réfléchis à mes parents, c'est exactement pareil, je chope la migraine. Du coup, j'y réfléchis plus.

Pendant que mon père faisait ses bagages à l'étage, je me suis tapé la conversation avec Mona. C'est qu'elle s'appelle Mona, l'assistante. La première chose qu'elle m'a dite, c'est à quel point il commençait à faire chaud et à quel point il allait faire encore plus chaud ces prochains jours. Le vieux blabla. Mais quand elle a appris qu'à présent, j'allais passer mes vacances tout seul, elle m'a contemplé d'un air si chagriné que j'en aurais presque pleuré sur mon triste sort. Maik Klingenberg, abandonné par ses parents, Dieu et le monde ! J'ai pensé à lui demander de me caresser les cheveux, comme la dernière fois près de la photocopieuse. Mais j'ai pas osé. À la place, mon regard a frôlé in extremis le pull-over moulant pour se perdre dans le paysage. J'écoutais Mona dérouler son blabla, comme quoi mon père était un homme responsable, et patati et patata. Ça n'avait pas que des avantages de vieillir.

J'étais encore plongé dans ma contemplation du paysage lorsque mon père a dévalé l'escalier avec sa valise.

– Tu vas pas le plaindre, en plus, a-t-il dit.

Il m'a redonné les mêmes consignes, m'a répété pour la énième fois où il avait laissé les deux cents euros, et puis il a mis son bras autour de la taille de Mona et ils sont allés vers la voiture. Ça, en revanche, il aurait pu s'abstenir. De lui mettre la main à la taille, je veux dire. Qu'ils ne mettent pas en scène tout un simulacre, je trouvais ça bien. Mais tant qu'ils étaient sur notre territoire, il avait pas à lui mettre la main autour de la taille. Ma parole. J'ai claqué la porte, et je suis resté là une bonne minute, les yeux fermés, immobile.

Et puis je me suis jeté sur le carrelage en gémissant.

– Mona ! m'écriai-je alors d'une voix étranglée. Il faut que je t'avoue quelque chose !

Ma voix résonnait de manière angoissante dans le vestibule désert, et Mona, qui semblait avoir pressenti que j'avais quelque chose à lui avouer, mit sa main à la bouche, abasourdie. Son pull-over se levait et s'abaissait avec frénésie.

– Oh mon Dieu ! Oh mon Dieu ! fit-elle.

– Comprends-moi, jamais je ne travaillerais de mon plein gré pour la CIA ! Mais ils nous tiennent, tu sais ?

Elle comprit immédiatement. Et s'effondra en pleurs près de moi.

– Mais que peut-on faire ? s'écria-t-elle de désespoir.

– On ne peut rien faire ! répondis-je. On ne peut que jouer le jeu. L'important, c'est de sauver les apparences.

Tu dois toujours avoir à l'esprit que je suis un élève de quatrième, que je ressemble à un élève de quatrième, et que nous devons continuer de vivre normalement notre vie, au moins encore un an ou deux, comme si on ne se connaissait absolument pas !

– Oh mon Dieu ! Oh mon Dieu ! fit-elle, m'étreignant et gémissant. Comment ai-je seulement pu douter de toi ?

– Oh mon Dieu ! Oh mon Dieu ! gémis-je à mon tour, recroquevillé sur le sol, le front pressé sur le carrelage glacé.

J'ai chialé encore comme ça une demi-heure environ. Après, ça allait mieux.

14

Du moins jusqu'à ce que la Vietnamienne se ramène. Normalement, elle vient trois fois par semaine. Elle est déjà assez âgée, la soixantaine je dirais. Et point de vue éloquence, c'est pas une championne du monde. Elle est tout à coup passée devant moi dans un souffle, et a disparu dans la cuisine pour réapparaître aussitôt, l'aspirateur à la main. Sans un mot. Je l'ai regardée un moment s'agiter avant d'aller lui dire qu'elle n'aurait pas besoin de venir ces deux prochaines semaines. J'avais juste besoin d'être peinard. Je lui ai expliqué que mes parents ne seraient pas là tout ce temps et que ça suffisait qu'elle revienne une fois, mardi en quinze, pour tout remettre à flot. Mais ç'a pas été évident de lui faire comprendre tout ça. Je pensais que l'aspirateur lui en tomberait des mains de joie, mais en fait pas du tout. D'abord elle m'a pas cru ; j'ai dû lui montrer les provisions que mon père avait achetées pour moi, ainsi que le calendrier dans lequel le mercredi où mon père était censé revenir était peinturluré de rouge.

Et comme elle me croyait toujours pas, je lui ai montré les deux cents euros qu'il avait laissés. Et là, j'ai compris pourquoi elle se cramponnait mordicus à son aspi. Le truc, c'est qu'elle pensait ne pas avoir son fric, si elle travaillait pas. J'ai dû lui expliquer qu'elle allait quand même l'avoir. Damned. La honte. Personne le remarquera, je lui ai fait. Mais avant qu'elle comprenne, ç'a été la croix et la bannière, parce qu'elle parle pas allemand. De l'index, on a tapoté comme des fous sur le mardi en quinze du calendrier, tout en se regardant profondément dans les yeux et en hochant furieusement la tête. Et là, elle a fini par s'en aller.

Après ça, j'étais complètement claqué. Je sais jamais comment parler à ces gens-là. On a eu un Indien, aussi, pour le jardin, qu'a été sucré pour des raisons financières. C'était exactement pareil : la honte. Je voudrais traiter ces gens normalement, mais eux se comportent comme des employés qui enlèvent le caca pour nous. D'ailleurs c'est exactement ce qu'ils font. Mais bon, j'ai que quatorze ans, tout de même. Mes parents, eux, ça les dérange pas le moins du monde. Et quand mes parents sont là, ça me pose pas de problème non plus. Mais tout seul dans une pièce avec la Vietnamienne, j'ai l'impression d'être Hitler. Je veux toujours lui arracher l'aspirateur des mains et faire le ménage à sa place.

J'ai pris le temps de la raccompagner dehors, j'aurais bien aimé lui offrir quelque chose mais je savais pas quoi, et du coup je me suis contenté d'agiter ma main comme un cornichon pour lui dire au revoir, vachement soulagé d'être enfin seul. J'ai rassemblé les outils qu'étaient restés éparpillés, et puis je suis resté planté là, dans l'air tiède du soir, à inspirer profondément.

De l'autre côté de la rue, les Dyckerhoff faisaient un barbecue. Leur fils aîné m'a hélé de sa pince à viande, et comme c'est un trou du cul de première, comme tous nos voisins d'ailleurs, j'ai vite détourné le regard. Et là, un vélo a déboulé du coin de la rue en couinant. Enfin, débouler, c'est beaucoup dire. Et vélo aussi, c'est exagéré. C'était un vieux cadre de vélo de femme, avec des pneus différents à l'avant et à l'arrière, et une selle en cuir en loques au milieu. En option : un frein à main qui pendouillait verticalement au cadre comme une antenne qu'on aurait retournée. À l'arrière, un pneu crevé. Et en selle, Tschichatschow. C'était, en gros, la dernière personne après mon père que j'avais envie de voir. Ceci dit, à part Tatiana, n'importe qui était la dernière personne que j'avais envie de voir. Mais l'expression de son visage de Mongol manifestait clairement que c'était pas réciproque.

– Kawock ! a fait Tschick en grimpant sur notre trottoir d'un air radieux. Imagine-toi ça : je roule, et ça fait kawock. C'est là que t'habites ? Hé, c'est un nécessaire de réparation ? Génial, donne-moi ça !

J'avais zéro envie de discuter. Du coup, je lui ai filé les outils, le priant de les remettre au même endroit quand il aurait terminé. J'avais pas le temps, fallait que j'y aille.

Et puis j'ai immédiatement regagné la maison. Pendant un moment, j'ai guetté derrière la porte fermée si quelque chose se passait dehors. Peut-être que Tschick allait se tirer en chourant les outils. Puis j'ai fini par m'allonger dans ma chambre, essayant de penser à autre chose. Mais c'était pas évident : d'en bas me parvenaient des bruits d'outils ; un gazon fut tondu, quelqu'un a chanté en russe. A chanté faux en russe. Et quand le calme est revenu, j'étais encore plus inquiet. J'ai regardé par la fenêtre. Tschick arpentait notre jardin. Il a fait le tour complet de la piscine avant de s'arrêter à l'échelle en alu, secouant la tête et se grattant le dos avec une clé à molette. J'ai ouvert la fenêtre.

– Canon, la piscine ! s'est écrié Tschick en levant vers moi son visage rayonnant.

– Oui, canon, la piscine. Veste canon, piscine canon. Et après ?

Comme il bronchait pas, je suis redescendu et on a un peu discuté. Tschick arrêtait pas de s'enthousiasmer sur la piscine. Il a voulu savoir avec quoi mon père gagnait son fric, et je le lui ai expliqué ; ensuite j'ai voulu savoir comment il avait réussi à démonter le type avec la Ford en deux temps trois mouvements, et il a haussé les épaules. « Mafia russe. » Il a fait un petit sourire narquois. J'ai compris alors que ça avait rien à voir avec la mafia. Mais j'ai pas non plus réussi à savoir de quoi il en retournait, même en le bassinant. On a discuté comme ça encore un moment, et à la fin arriva ce qui devait arriver : on a atterri devant la

PlayStation et on a joué à GTA. Tschick connaissait pas, et on était pas hyper successful, mais je me disais : Mieux vaut ça que de chialer dans mon coin.

– Et t'as vraiment pas redoublé ? a-t-il fini par demander. Je veux dire : t'as regardé ton bulletin ? Ça, j'hallucine complet, t'es en vacances, mec, tu vas probablement partir quelque part, tu peux aller à cette soirée, et t'as une magnifique...

– Quelle soirée ?

– Tu vas pas chez Tatiana ?

– Non. Rien à battre.

– Sérieux ?

– J'ai autre chose de prévu demain soir, j'ai dit en appuyant frénétiquement sur le triangle de commande. Et de toute façon je suis pas invité.

– T'es pas invité ? La vache. Je croyais être le seul.

– On s'en fout, ça va être nase, j'ai dit, écrasant au passage quelques personnes avec mon camion-citerne.

– Pour les pédés, peut-être. Mais pour un homme comme moi, dans la force de l'âge, cette soirée c'est un must. Simla sera là. Et Natalie. Et Laura et Corinna et Sarah. Je parle même pas de Tatiana. Et Mia. Et Fadile et Cathy et Kimberley. Et ce canon de Jennifer. Et la blonde de la 4e A. Et sa sœur. Et Mélanie.

– Ah ! j'ai fait, jetant un regard déprimé à l'écran télé.

– Tu me laisses l'hélico ?

Je lui ai filé le contrôleur et on n'en a plus parlé.

Il était presque minuit quand Tschick a fini par rentrer chez lui. J'ai entendu le couinement du vélo s'éloigner en direction de la Weidengasse. Je suis resté un moment tout seul, devant notre maison, dans la nuit, à contempler les étoiles. Et ça, c'était le meilleur de cette journée : qu'elle soit enfin terminée.

15

Le lendemain, ça allait un peu mieux. Je me suis réveillé à l'heure pour aller au collège – on ne change malheureusement pas si facilement ses habitudes. Mais le silence qui régnait dans la maison m'a tout de suite fait comprendre : je suis seul, c'est les grandes vacances, la maison m'appartient, je peux y faire ce que je veux.

J'ai commencé par descendre mes CD et mettre la chaîne stéréo du salon à fond. White Stripes. Puis j'ai ouvert la porte de la terrasse. Je me suis allongé au bord de la piscine avec trois paquets de chips, un Coca et mon bouquin préféré, histoire d'oublier toute cette histoire de merde.

Il était encore tôt, mais il faisait déjà au moins trente degrés à l'ombre. J'ai mis mes pieds dans l'eau, et le comte Luckner s'est mis à me parler. Le comte Luckner, c'est mon livre préféré. Je l'avais déjà lu au moins trois fois, mais je me suis dit que ça pouvait pas nuire de le lire une quatrième. Quand quelqu'un a la pêche comme le comte

Luckner, on peut aussi le lire cinq fois. Ou dix. Le comte Luckner, il était pirate pendant la Première Guerre mondiale et il a fait couler les Anglais les uns après les autres. Et ce, d'une manière très gentleman. En clair : il tue personne. Il coule juste les navires avant de sauver les passagers et de les ramener sur la terre ferme – sur ordre de Sa Majesté. Et c'est pas inventé, il a vraiment vécu, le comte Luckner. Le meilleur passage, c'est le coup de l'Australie. Quand il est gardien de phare et qu'il chasse les kangourous. Non, mais vous imaginez le truc ? Il a quinze ans, le gars, il connaît personne là-bas, il se tire avec son bateau, et puis il va à l'Armée du Salut, il atterrit dans un phare en Australie et il se met à chasser les kangourous. Mais cette fois-ci, je suis pas arrivé jusque-là.

Le soleil cognait. J'ai mis le parasol, mais le vent l'a fait basculer. J'ai dû le lester au niveau du pied pour avoir la paix. Mais j'arrivais pas à lire. J'étais tellement exalté à l'idée de faire tout ce que je voulais qu'à force d'être exalté j'ai plus rien fait du tout. Pour ça, j'étais carrément différent du comte Luckner. Je suis retourné dans mes délires, rembobinant du début cette histoire avec Tatiana. Et puis je me suis brusquement souvenu qu'il fallait arroser la pelouse. Ça, mon père avait oublié de me le dire ; j'étais donc pas obligé de le faire. Mais je l'ai fait quand même. Autant ça m'aurait trop soûlé d'y être obligé, autant je m'éclatais à arroser la pelouse puisque en gros c'était moi le proprio et que ce jardin était mon jardin.

J'étais debout et les pieds nus sur les marches du perron, et j'aspergeais un peu partout avec mon tuyau jaune. J'avais ouvert le robinet à fond. Le jet tirait à au moins vingt mètres en l'air, mais j'arrivais quand même pas à atteindre les coins les plus reculés du jardin. Pourtant, je trifouillais dans tous les sens après le gicleur. Le truc, c'est que j'avais en aucun cas le droit de descendre de l'escalier. C'était la condition. Dans le salon les White Stripes à fond, porte d'entrée grande ouverte, et moi : pantalon retroussé et pieds nus, lunettes de soleil dans les cheveux, style Monsieur le Comte arrose ses domaines ruraux. Et ça, je pouvais le faire tous les matins ! J'avais même envie qu'on me voie. Mais y avait personne. Huit heures et demie, grandes vacances – tout dormait encore. Deux mésanges bleues gazouillaient dans le jardin. Le comte Henri de Klingenberg, le sympathique ressasseur d'idées noires, l'amoureux transi de fraîche date, musardait en solitaire sur ses terres. Non, pas en solitaire : Jack et Meg, qui, lassés des paparazzis, lui rendaient régulièrement visite en son domicile berlinois, faisaient un bœuf dans l'anti-chambre. Le comte Henri n'allait pas tarder à se joindre à eux et contribuer à la session de jam avec quelques sons rock tirés de sa flûte à bec. Les oiseaux gazouillaient, l'eau clapotait… Il n'y avait rien que le comte Henri de Klingen-berg n'aimât plus que cette heure matinale, pleine du son des mésanges, pendant laquelle il arrosait sa pelouse. Il plia le tuyau d'arrosage, attendit une dizaine de secondes que la pression s'y fût pleinement reconstituée et lança une fusée sol-sol de trente mètres sur le rhododendron. *In the Cold, Cold Night*, chantait Meg White.

Une bagnole a lentement descendu notre rue, brinque-balant. Elle a tourné dans notre entrée. L'espace d'une minute, le moteur de la Lada Niva bleu clair a ronflé devant notre garage avant de s'éteindre. La portière du conducteur s'est ouverte, Tschick en est sorti. Il a posé ses deux coudes sur le toit de la voiture et m'a regardé arroser la pelouse.

– Ah ah, a-t-il fait, avant de marquer une longue pause. C'est sympa, comme passe-temps ?

16

J'ai fébrilement attendu que son père, son frère ou je ne sais qui lui emboîte le pas. Mais plus personne n'est sorti de la voiture. Et c'était dû au fait qu'il y avait personne d'autre dans la voiture. On voyait pas bien à travers les vitres sales.

– T'as l'air d'une pédale dont on aurait encrotté le jardin pendant la nuit. Je t'emmène quelque part, ou tu préfères arroser encore un peu ?

Il m'a fait son plus large sourire russe.

– Allez, monte, mec.

Évidemment que je suis pas monté, je suis pas complètement barge, non plus. J'y suis juste allé deux secondes. Et je me suis à moitié assis sur le siège passager pour pas attirer les regards en restant planté devant l'entrée.

La Lada était encore plus déglinguée dedans que dehors. Sous le volant pendouillaient des fils électriques. Un tournevis était enfoncé sous le tableau de bord.

– Ça y est, t'as définitivement pété un câble ?

– C'est juste emprunté, pas volé, a dit Tschick. Après, je la remets à sa place. On l'a déjà fait plusieurs fois.

– Qui ça, « on » ?

– Mon frère. C'est lui qui l'a trouvée, cette caisse. Elle est tout le temps dans la rue, bonne pour la casse en gros. On peut la prendre, le proprio s'en rend même pas compte.

– Et ça, là ?

Je désigne la salade de fils.

– On peut les replanquer dedans.

– T'es barge. Et les empreintes digitales ?

– Quoi, les empreintes digitales ? C'est pour ça que tu tires la tronche depuis tout à l'heure ?

Il a secoué mes bras que je tenais frénétiquement croisés devant ma poitrine.

– Pisse pas dans ton froc. C'est des conneries à la télé, le coup des empreintes digitales. Ça, là – tu peux toucher. Tu peux toucher à tout. Allez, on va faire un tour.

– Sans moi.

Je l'ai regardé sans rien dire. Il avait vraiment pété un câble.

– C'est pas toi qui disais hier que tu voulais enfin faire une vraie expérience ?

– Je pensais pas à la prison.

– La prison ! T'es même pas encore majeur, au plan pénal.

– Fais ce que tu veux. Mais sans moi.

Pour être honnête, je savais même pas ce que ça voulait dire, majeur au plan pénal. Enfin, si, en gros si. Mais pas vraiment.

– T'es pas majeur au plan pénal. Ça veut dire qu'on peut pas t'embêter. Mon frère me dit tout le temps : si j'étais toi, je braquerais une banque. Tant que t'as pas quinze ans. Mon frère, il en a trente. En Russie, ils t'éclatent la cervelle à en faire sortir trois tonnes de merde. Mais ici ! En plus, elle intéresse personne, cette caisse. Même pas son proprio.

– No way.

– Allez, le tour du pâté de maisons.

– Non.

Tschick a desserré le frein à main, et sincèrement, je sais pas pourquoi je suis pas descendu. En général, je suis plutôt lâche. C'est sans doute ça, d'ailleurs : pour une fois je voulais pas être lâche. Son pied gauche a enfoncé la pédale complètement à gauche, et la Lada a descendu la pente en marche arrière, sans un bruit. Puis Tschick a appuyé sur la pédale du milieu, et la voiture s'est immobilisée. Main portée vers la salade de fils, démarrage du moteur. J'ai fermé les yeux. Quand je les ai rouverts, on glissait le Kitschendorfer Weg en descente pour tourner à droite dans la Rotraudstrasse.

– T'as pas mis ton cligno.

Je lui ai dit ça sur un ton pitoyable, les bras toujours fermement croisés. Puis j'ai cherché la ceinture de sécurité. J'étais à l'agonie.

– T'as pas besoin d'avoir peur. J'suis un as du volant.

– Ben mets ton cligno comme un as du volant, alors.

– J'ai jamais mis le clignotant.

– Sois gentil.

– Pour quoi faire ? Les gens le voient bien, où je tourne. Et puis y a personne sur la route.

Ça, c'était vrai, la rue était complètement déserte. Et c'est resté vrai encore une bonne minute environ. Après, Tschick a tourné deux fois, et on s'est tout à coup retrouvés sur la Kosmonautenallee. Elle a quatre voies, la Kosmonautenallee. Là, j'ai définitivement paniqué.

– OK, OK. Et maintenant on rentre. S'il te plaît.

– Je conduis comme Mika Häkkinen.

– Tu l'as déjà dit.

– Tu trouves pas ?

– Non.

– Non, sérieux, tu trouves pas que je conduis bien ? a demandé Tschick.

– Super bien, j'ai dit.

Et là, je me suis souvenu que c'était la réponse standard de ma mère à la question standard de mon père ; et du coup, j'ai ajouté : « Super bien, chéri. »

– T'emballe pas.

Tschick n'était pas un as du volant à proprement parler, mais sa conduite n'était pas non plus catastrophique. C'était pas beaucoup mieux ou pire que mon père. Et il remettait effectivement cap vers notre quartier.

– Tu veux pas respecter quelques règles de conduite ? Ça, là, c'est une ligne continue.

– T'es homo ?

– Quoi ?

– Je t'ai demandé si t'étais homo ?

– T'es pas bien ?

– Tu m'as appelé chéri.

– J'ai... quoi ? On appelle ça de l'ironie.

– Alors, t'es homo ?

– Pour cause d'ironie ?

– Et parce que tu t'intéresses pas aux filles.

Il me regardait droit dans les yeux.

– Regarde la route ! j'ai crié.

Je dois avouer, je commençais lentement à devenir hystérique. Il conduisait sans regarder la route, tranquillou. Mon père, il le faisait aussi, parfois, mais mon père, c'était mon père et puis il avait son permis.

– Tous les mecs sont dingues de Tatiana. Mais alors raides dingues.

– De qui ?

– De Tatiana. On a une fille dans notre classe qui s'appelle Tatiana. Jamais remarqué ? Tatiana superstar. T'es le seul à pas lui mater le cul. Tu mates de toute façon le cul de personne. Alors, t'es homo ? Je demande juste.

Alors là, j'ai cru mourir.

– Je trouve pas ça grave, a dit Tschick. J'ai un oncle à Moscou, il se balade toute la journée en pantalon de cuir, le cul à l'air. Sinon, il est tout à fait OK, mon oncle. Il bosse pour le gouvernement. Et il y peut rien, qu'il soit homo. Je trouve vraiment pas ça grave.

Damned. Je trouvais pas ça grave non plus, que quelqu'un soit homo. Même si c'était pas trop ce que j'imaginais de la Russie, que quelqu'un se balade le cul à l'air en pantalon de cuir. Mais que j'ignorais Tatiana Cosic, ça, c'était la blague du siècle, non ? Ben oui, bien sûr que je l'ignorais. Et qu'est-ce que j'aurais pu faire d'autre ? Pour un minable, un somnifère dérangé, c'était encore le seul moyen de pas passer pour complètement bouffon.

– T'es con, j'ai dit.

– J'assume. L'important, c'est que tu t'approches pas de ma rosette.

– Arrête, c'est dégoûtant.

– Mon oncle...

– T'arrêtes, avec ton oncle ! Je suis pas homo, merde à la fin. T'as pas encore pigé que j'étais juste d'humeur massacrante depuis hier ?

– Parce que je mets pas mon cligno ?

– Mais non ! Parce que je suis pas homo, abruti !

Tschick m'a contemplé, déconcerté. Je me suis tu. J'avais pas envie d'expliquer. Je voulais même ne pas l'avoir dit, ça m'avait échappé. J'avais encore jamais parlé à qui que ce soit de ces choses-là, et j'avais zéro envie de commencer.

– Moi pas avoir compris. Je suis censé comprendre ? a dit Tschick. T'es pas homo parce que t'es d'humeur de merde ? C'est ça ?

Je regardais par la fenêtre, vexé. Au moins, je m'en foutais royalement qu'on soit arrêtés à un feu rouge, qu'y ait deux retraités qui nous matent à travers la vitre, et qu'on soit prochainement débarqués par les flics. J'espérais même qu'on se fasse débarquer par les flics, histoire qu'il se passe un truc.

– Alors, ton humeur de merde – pourquoi ?

– Parce que aujourd'hui, c'est *le* jour, abruti.

– Quel jour ?

– Ben le jour de la soirée ! La soirée de Tatiana !

– T'es pas obligé de me raconter n'importe quoi juste parce que t'es désorienté sexuellement. Hier, tu voulais même pas y aller.

– Et comment, que je veux y aller.

– Je trouve pas ça grave, a dit Tschick en posant sa main sur mon genou. Tes problèmes sexuels ne m'intéressent pas le moins du monde, et je le raconterai à personne, promis.

– Je peux le prouver, j'ai dit. Tu veux que je te le prouve ?

– Me prouver que t'es pas homo ? Ha ha ha.

Il a chassé d'invisibles mouches avec ses mains. On venait de passer devant le Springpfuhl. Cette fois, Tschick n'a pas garé la voiture directement devant notre maison mais dans une petite rue adjacente, une impasse où personne pouvait nous voir. Une fois dans ma chambre, et comme Tschick me regardait toujours genre comme s'il avait appris je ne sais quoi sur moi, je lui ai lancé :

– Te fous pas de ma gueule pour ce que je vais te montrer maintenant. Et ne ris pas. Si tu ris...

– Mais je ris pas.

– Tatiana est folle dingue de Beyoncé, tu sais ça ?

– Ben oui. Je lui aurais offert un CD si elle m'avait invité.

– Ouais. Enfin… voilà.

J'ai sorti le dessin du tiroir. Tschick l'a pris et l'a tenu devant lui pour le contempler. Ceci dit, il a pas trop prêté attention au dessin ; il a commencé par considérer le verso de la feuille, là où j'avais mis du scotch pour recoller. Je m'étais tellement appliqué qu'on ne voyait presque plus le scotch sur le devant. Il a longuement examiné la déchirure puis le dessin avant de conclure :

– Eh ben, t'en as, des sentiments.

Il a dit ça sérieusement, sans déconner. J'ai trouvé ça franchement bizarre. Et pour la première fois, j'ai pensé : Il est vraiment pas si con. Tschick avait vu la déchirure et tout de suite pigé le truc. Je crois pas connaître beaucoup de gens qui auraient compris. Il m'a regardé avec gravité. J'aimais ça chez lui : c'était quelqu'un qui pouvait être assez bizarre, mais quand c'était important, il était justement pas bizarre : il était sérieux.

– T'as eu besoin de combien de temps ? Trois mois ? On dirait une photo. Et tu vas faire quoi avec, maintenant ?

– Rien.

– Faut que t'en fasses quelque chose.

– Et quoi ? Tu veux peut-être que j'aille chez Tatiana, que je lui dise : « Bon anniversaire, j'ai un petit cadeau pour toi – et ça me dérange pas du tout de pas être invité alors que tous les autres bouseux le sont, non vraiment, y a zéro problème. Et je fais que passer, et je m'en vais tout de suite – je te souhaite bien du plaisir avec le dessin auquel j'ai travaillé cul et âme pendant trois mois » ?

Tschick s'est gratté le cou. Il a posé le dessin sur mon bureau, l'a contemplé en secouant la tête. Et puis il m'a regardé et il a dit :

– C'est exactement ça que je ferais.

17

– Sérieux, faut faire quelque chose. Si tu fais rien, tu vas devenir fou. Viens, on y va. Tu t'en fous que c'est la honte. Dans une Lada volée, y a rien qui soit la honte. Mets ta veste canon, prends ton dessin, et magne ton cul dans la voiture.

– Never.

– On attend ce soir et tu magnes ton cul dans la voiture.

– Non.

– Et pourquoi non ?

– Je suis pas invité.

– T'es pas invité ! Et alors ? Moi non plus je suis pas invité. Et tu sais pourquoi ? Logique, on invite pas ce gros con de Russe. Mais tu sais pourquoi toi, t'es pas invité ? Tu vois, tu sais même pas. Mais moi, je sais.

– Eh ben dis-le, alors, Monsieur le héros. Parce que je suis un raseur de première et que j'ai une sale tronche.

Tschick a secoué la tête.

– T'as pas une sale tronche. Ou peut-être que t'as une sale tronche. Mais c'est pas la raison. La raison, c'est : y a aucune raison de t'inviter. On te remarque pas. Il faut te faire remarquer, mec.

– Qu'est-ce que t'entends par « me faire remarquer » ? Me ramener tous les jours bourré au bahut ?

– Non, bon Dieu. Mais si j'étais toi et si j'avais ta tronche et si j'habitais ici et si j'avais des fringues pareilles, ben j'aurais déjà été invité cent fois.

– T'as besoin de fringues ?

– Change pas de sujet. Quand il commence à faire nuit, on va à Werder.

– Never.

– OK, on va pas à la soirée, on fait qu'y passer.

Le plan foireux sur toute la ligne. Pour être précis, c'était trois plans à la fois, et chacun d'entre eux était foireux : se ramener alors qu'on est pas invités, traverser Berlin en Lada, et – le plus foireux des trois – amener le dessin. Car un truc était couru d'avance : même Tatiana allait comprendre ce qu'il voulait dire, ce dessin. Je voulais pas y aller, en aucun cas.

Pendant que Tschick me baladait jusqu'à Werder, j'ai pas arrêté de dire que je voulais pas y aller. D'abord je lui ai dit de faire demi-tour, genre j'avais réfléchi et changé d'avis, et puis j'ai clamé qu'on avait même pas l'adresse exacte, et puis j'ai juré sur la tête de ma mère que jamais je descendrais de la Lada.

Pendant tout ce long trajet, j'avais les mains plaquées sous les aisselles. Cette fois, c'était pas à cause des empreintes digitales, mais parce que sinon elles auraient trop tremblé. Beyoncé était allongée devant moi sur le tableau de bord et tremblait aussi.

Malgré mon émoi, j'ai remarqué que Tschick conduisait plus prudemment que le matin. Il contournait les rues à deux voies et levait le pied de l'accélérateur longtemps avant le feu rouge, histoire d'éviter qu'on reste plantés au passage clouté et que des piétons puissent lorgner à l'intérieur de la voiture. Une fois, on a dû s'arrêter sur le bas-côté parce qu'il avait commencé de pleuvoir et que les essuie-glaces ne marchaient pas. On était déjà sortis de Berlin et il pleuvait à verse. Mais ça n'a duré que cinq minutes, une pluie d'orage. Après, l'air sentait délicieusement bon.

Mon regard a traversé le pare-brise détrempé. Pour la première fois, j'ai réalisé à quel point c'était bizarre de sillonner les rues du Berlin nocturne, de quitter la ville par les grandes allées de l'ouest, de passer devant des stations-service abandonnées, à la poursuite des panneaux indiquant Werder. Tout à coup, un soleil mordoré a surgi sous les nuages sombres. L'air était de nouveau lourd, brûlant. Je ne disais plus rien, Tschick non plus, et j'étais content qu'il soit si déterminé de nous emmener vers cette soirée où j'avais soi-disant pas envie d'aller. Pendant trois mois j'avais pensé qu'à ça – et à présent j'allais me comporter devant Tatiana comme le dernier des gogols.

La maison n'était pas dure à trouver. Probablement qu'on l'aurait trouvée rien qu'en longeant les rues du lac. Mais en fait, juste après l'entrée dans la ville, deux VTT ont surgi devant nous chargés de sacs de couchage – André et un autre gusse. Tschick les a suivis à bonne distance, et puis on est tout de suite tombés sur la maison. Briques rouges, tas de vélos devant la maison, braillements du tonnerre venant du jardin, côté lac. Encore cent mètres de distance. J'ai glissé de mon siège vers l'avant de la voiture. Tschick a abaissé la vitre à grands coups de manivelle, et s'est négligemment accoudé à la portière. On a dépassé tout ce petit monde à la vitesse de huit kilomètres heure et demi. Une douzaine de personnes conversaient devant la maison et à la porte d'entrée, verres, bouteilles, mobiles et cigarettes en main. Énormément de monde dans le jardin derrière : visages connus et inconnus, nanas pomponnées de la classe parallèle… Et, au milieu, tel un soleil, Tatiana. À part les cons et les Russes, elle avait convié tous les deux-pattes de la création. On avait lentement dépassé la maison. Personne ne nous avait vus. Il m'est venu à l'esprit que j'avais pas de plan pour remettre le dessin à Tatiana. Je réfléchissais sérieusement à le jeter par la fenêtre tout en roulant. Quelqu'un finirait bien par le trouver et le lui donner. Mais Tschick a freiné et il est descendu de voiture avant que j'aie pu faire quoi que ce soit de débile. Je l'ai suivi du regard, pétrifié. Je sais pas si être amoureux, ça rend toujours aussi tarte, mais visiblement, je suis pas trop doué pour ça. J'étais en train de débattre avec moi-même si je devais définitivement m'envaser dans l'espace-pied et me mettre la veste sur la tête ou regrimper sur mon siège et faire une tronche genre rien à cirer, quand un pétard rouge et or a fusé dans le ciel. Tout le monde s'est précipité vers le jardin pour voir le feu d'artifice. Seul André avec son VTT et Tatiana qui était venue l'accueillir étaient encore sur le trottoir.

Et Tschick.

Tschick était juste devant eux. Ils l'ont dévisagé comme s'ils le reconnaissaient pas. Probable qu'ils le reconnaissaient vraiment pas, car il avait mes lunettes de soleil et il portait un jean et une veste grise à moi. On avait passé la journée à vider mon armoire ; je lui avais offert trois pantalons, des pulls, des chemises et des tas de trucs comme ça. Résultat des courses : il ne ressemblait plus à la dernière andouillette russe, mais à un portemanteau tout droit sorti des *Feux de l'amour*. Ce qui est pas censé être une insulte ; c'est juste qu'on le reconnaissait plus, d'autant qu'il avait des tonnes de gel dans les cheveux. Je le voyais s'adresser à Tatiana qui lui répondait d'un air énervé. Tschick m'a fait un signe de la main derrière le dos. Je suis descendu de la voiture, hypnotisé. Me demandez pas ce qui s'est passé à ce moment-là, je sais plus. Je me suis tout à coup retrouvé à côté de Tatiana avec mon dessin, et je crois qu'elle m'a jeté un regard tout aussi énervé qu'avec Tschick deux secondes avant. À vrai dire, j'ai pas vraiment fait attention.

J'ai dit : « Tiens. »

J'ai dit : « Beyoncé. »

J'ai dit : « Un dessin. »

J'ai dit : « Pour toi. »

Tatiana a fixé le dessin. Avant qu'elle ne redresse la tête, j'ai entendu Tschick dire à André : « Non, pas le temps. On a encore un truc à régler. » Il m'a bousculé et il est retourné à la voiture. J'ai trotté derrière lui. Le moteur s'est mis en route, et hop, on était partis. J'ai enfoncé mes poings dans le tableau de bord tandis que Tschick passait la seconde et dévalait la rue, qui en fait était une impasse.

– Tu veux qu'on leur en bouche un coin ? a demandé Tschick.

J'ai pas répondu. Je pouvais pas.

– Tu veux qu'on leur en bouche un coin ? a-t-il répété.

– Fais ce que tu veux ! j'ai crié, soulagé.

Tschick a foncé jusqu'au bout de l'impasse, puis il a tourné le volant à droite et à gauche d'un coup sec, a tiré sur le frein à main, et a fait un tour à cent quatre-vingts degrés au milieu de la rue. Un peu plus je faisais un vol plané par la fenêtre.

– Ça marche pas à tous les coups, a dit Tschick, tout fier. Ça marche pas à tous les coups.

Il a accéléré au moment de passer devant la maison en briques rouges, et du coin de l'œil, j'ai pu voir qu'ils étaient toujours sur le trottoir. Le temps semblait s'être arrêté. Tatiana le dessin à la main, André avec son VTT, et

Natalie déboulant du jardin.

La Lada a beurré le virage suivant à soixante. J'ai mar-telé le tableau de bord des poings.

– Accélère !

– Mais c'est ce que je fais !

– Plus vite !

Je criais tout en voyant mes poings donner des coups de marteau. Soulagement, c'est rien de le dire.

18

J'ai dévalé au pif le long couloir sombre. Ensuite, j'ai pris à gauche dans le passage avec la balustrade en fer, et je me suis adossé au mur, les deux tanks et l'ouverture de la porte en ligne de mire. J'ai vu Tschick tourner au coin de la rue à petites foulées. Je l'ai collé aux basques. Même de derrière je voyais à quel point il était paumé. Mais il a couru comme un fou pendant au moins trois minutes encore, sans même remarquer que j'étais à ses trousses. Il s'est arrêté sur une place ouverte, j'ai dégainé mon shotgun et l'ai mitraillé dans le dos. Un bouquet de sang a giclé, et il s'est effondré.

– Merde ! Mais t'es où à chaque fois ? Je te vois pas arriver.

J'ai changé pour un chain Gun, et j'ai profané son cadavre en faisant des petits bonds de joie autour de lui.

– Ça va, ça va. C'est bon, calme-toi.

Tschick a appuyé sur start, mais c'était pas la peine. Il était complètement à l'ouest dans le site. On pouvait lui courir après pendant des heures sans qu'il le remarque. Je le descendais à chaque fois. J'étais genre un dieu à Doom, et lui il était genre vraiment nul. Il est allé se chercher une autre bière.

– Et si on partait, carrément ? a-t-il lancé.

– Plaît-il ?

– En vacances. Après tout, on a rien à faire. On a qu'à partir en vacances, comme les gens normalement constitués.

– Qu'est-ce que tu racontes ?

– On se casse en Lada.

– C'est pas exactement ce que font les gens normalement constitués.

– Mais on pourrait, non ?

– Non. Appuie sur start.

– Et pourquoi pas ?

– Non.

– Si j'arrive à te choper, disons en cinq tours. Si je te chope une fois en cinq tours. Ou bien dix tours. Disons dix.

– Même en dix tu m'auras pas.

– En dix.

Il s'est vachement appliqué. Tout en m'enfilant trois tonnes de chips, j'ai attendu qu'il ait la tronçonneuse et je me suis laissé découper en mille morceaux.

– Sérieux, j'ai dit. Imaginons qu'on le fasse.

On avait passé notre journée à shooter comme des malades. On avait été deux fois dans la piscine. Tschick m'avait parlé de son frère, et puis il avait découvert la bière dans le frigo et s'en était accordé trois bouteilles. J'en avais aussi pris une. J'avais souvent essayé la bière, mais j'ai jamais aimé ça, et j'ai pas aimé cette fois-là non plus. J'ai quand même réussi à descendre les trois quarts de la bouteille. Mais ça me faisait rien.

– Et s'ils nous dénoncent ?

– Ils nous dénonceront pas. En plus, s'ils avaient voulu le faire, ils l'auraient fait depuis longtemps et la police serait déjà là. Ils savent même pas que la Lada est volée. Ils nous ont vus dix secondes grand max, ils pensent sûrement qu'elle est à mon frère ou un truc dans le genre.

– Mais tu voudrais qu'on aille où, dans l'absolu ?

– On s'en tape.

– Quand on part, ce serait peut-être pas mal de savoir où on va.

– On pourrait rendre visite à ma famille. J'ai un grand-père en Valachie.

– Et il habite où ?

– Quoi, où il habite ? En Valachie, j'te dis.

– C'est dans le coin, ou quoi ?

– Quoi ?

– C'est un bled à dache ?

– C'est pas un bled, t'es bouché ou quoi ? C'est en Valachie.

– Ben c'est pareil.

– Qu'est-ce qu'est pareil ?

– Ben : un bled à dache et la Valachie, c'est pareil.

– Moi pas comprendre.

– C'est qu'un mot, abruti, j'ai dit en achevant ma bière. Valachie, c'est qu'un mot ! Comme tu dirais Pétaouchnouck-les-Bains. Ou Perpète-les-Oies.

– Ma famille est originaire de là-bas.

– Je croyais que tu venais de Russie ?

– Oui, mais une partie vient aussi de Valachie. Mon grand-père. Ma grand-tante et mon arrière-grand-père et… Ben quoi, qu'est-ce qu'y a de drôle ?

– C'est comme si tu disais que t'avais un grand-père qui habite à Pétaouchnouk-les-Bains, ou à Perpète-les-Oies.

– Et qu'est-ce qu'y a de drôle ?

– Pétaouchnouk-les-Bains, ça existe pas, abruti ! Pétaouchnouk-les-Bains, ça veut dire dans un trou paumé. Et la Valachie, ça existe pas non plus. Si tu dis : un tel habite en Valachie, ça veut dire : il habite dans la pampa.

– Et la pampa, ça existe pas non plus ?

– Non.

– Mais mon grand-père, il habite vraiment là-bas.

– Dans la pampa ?

– T'es chiant, sérieux. Mon grand-père habite quelque part au trou du cul du monde, dans un pays qui s'appelle Valachie. Et c'est là qu'on va aller demain.

Il était redevenu super sérieux. Moi aussi, je suis devenu sérieux.

– Je connais cent cinquante pays du monde avec le nom de leur capitale, j'ai dit en prenant une gorgée de la bouteille de Tschick. La Valachie, ça existe pas. Point barre.

– Mon grand-père est cool. Il a deux cigarettes dans l'oreille. Et plus qu'une seule dent. J'y étais quand j'avais cinq ans environ.

– Mais t'es quoi, alors, en fait ? Russe ? Valachien ou quoi ?

– Allemand. J'ai mon passeport.

– Mais tu viens d'où ?

– De Rustow. Ça, c'est en Russie. Mais ma famille est de partout. Des Allemands de la Volga, des Allemands de souche, des Allemands du Banat, des Valaques, des Tziganes juifs...

– Quoi ???

– Quoi, quoi ?

– Des Tziganes juifs ?!?

– Ben oui. Des Souabes et des Valaques...

– Y a pas.

– Qu'est-ce qu'y a pas ?

– Des Tziganes juifs. Tu racontes n'importe quoi. C'est n'importe quoi !

– Pas du tout.

– Tziganes juifs, c'est comme tu dirais des Français anglais ! Y a pas !

– Ben bien sûr qu'y a pas de Français anglais, a dit Tschick. Mais y a des Français juifs. Et des Tziganes juifs, y en a aussi.

– Des Juifs tziganes, alors.

– Exactement. Et ils ont une espèce de machin sur la tête et se baladent dans toute la Russie pour vendre des tapis. On les connaît, ces types avec le machin sur la tête. Coppa. Une Coppa sur la tête.

– Coppa mon cul. Je te crois pas.

– Tu connais pas ce film avec Georges Aznavour ?

Tschick voulait vraiment me convaincre, à présent.

– Un film, c'est qu'un film, que je te l'ai envoyé paître. Dans la vraie vie, tu peux être que juif ou tzigane.

– Mais tzigane, c'est pas une religion, abruti. Juif, c'est une religion. Un Tzigane, c'est un SDF.

– Les SDF, c'est des Berbères.

– Les Berbères, c'est des tapis.

J'ai réfléchi un moment. Et puis j'ai fini par demander à Tschick s'il était vraiment un Tzigane juif. Il a hoché la tête avec gravité, et là, je l'ai cru.

Mais ce que j'ai pas cru, c'est l'histoire débile du grand-père. Ça, je le savais bien, que la Valachie c'était qu'un mot. J'ai prouvé à Tschick par A plus B que la Valachie, ça existait pas, et j'ai senti que mes mots gagnaient en force de conviction quand je les redoublais de quelques gesticulations des bras. Tschick a fait les mêmes gesticulations, puis il est retourné chercher une bière et m'a demandé si j'en voulais encore une. Mais comme ça me faisait rien, j'ai pris un Coca.

Ému, j'ai observé une mouche arpenter la table à quatre pattes. J'avais l'impression que la mouche était elle aussi émue de me voir ému. J'avais jamais si bien discuté avec quelqu'un. Tschick a posé deux bouteilles sur la table.

– Tu verras. Mon grand-père et ma grand-tante et deux cousins et quatre cousines, et les cousines belles comme des orchidées – tu verras.

De fait, l'idée commençait lentement à me travailler. Mais Tschick était à peine parti que les cousines et tout le reste se disloquèrent dans un nuage de brume. Il ne resta plus qu'une sensation misérable. La pure misère, à en chialer. Mais ça n'avait rien à voir avec Tschick. Ç'avait à voir avec Tatiana. Je savais pas du tout ce qu'elle pouvait bien penser de moi, à présent, et peut-être je l'apprendrais jamais. À cet instant, j'aurais vraiment donné n'importe quoi pour être en Valachie ou je ne sais où, juste pas à Berlin.

Avant d'aller me coucher, j'ai encore pris le temps d'ouvrir mon ordi. M'y attendaient deux mails de mon père qui pestait que mon portable était éteint et que je répondais pas non plus sur le fixe. Il fallait donc que j'invente des bobards pour ce monsieur et que je lui explique qu'ici tout allait super bien. Ce qui était le cas d'ailleurs. Et comme j'avais zéro envie d'écrire ces mails et que rien me venait à l'esprit, j'ai rentré Valachie dans Wikipédia. Et c'est là que j'ai véritablement commencé à gamberger.

19

La nuit de samedi à dimanche. Quatre heures, avait dit Tschick. Ce serait la meilleure heure. Quatre heures du matin. J'ai presque pas dormi. J'ai somnolé la moitié de la nuit pour me réveiller illico quand j'ai entendu des pas sur notre terrasse. J'ai foncé vers la porte. Tschick était là, dans la pénombre, un sac de marin sur l'épaule. On chuchotait sans raison aucune. Tschick a posé son sac de marin dans notre vestibule, et puis on est partis.

En rentrant de Werder, il avait laissé la Lada dans la rue où elle était censée être le reste du temps. C'était à dix minutes de chez nous. En y allant, un renard a déboulé à nos pieds en direction du centre, un véhicule de nettoyage de la ville est passé en chuintant, et une retraitée expectorante a croisé notre chemin. Au finish, on se faisait plus remarquer qu'en plein jour. À trente mètres de la Lada, Tschick m'a fait signe d'attendre. Je me suis collé contre une haie, le cœur battant. Tschick a sorti une balle de tennis jaune de sa poche. Il a pressé la balle contre la poignée de la Lada et a appuyé dessus du plat de la main. Je comprenais pas bien en quoi c'était utile, mais Tschick a lancé dans un sifflement : « Les pros en action ! » Puis il a ouvert la porte et m'a fait signe de le suivre.

Il a de nouveau trifouillé après les fils pour faire démarrer le moteur. Puis il a fait du piano avec le pare-chocs des voitures devant et derrière pour sortir de sa place de parking. Recroquevillé sur le siège passager, j'examinais la balle de tennis. Une balle de tennis toute normale avec un trou dedans de la taille d'un doigt.

– Et ça marche avec toutes les voitures ?

– Pas avec toutes. Mais fermeture centrale – et clac ! Dépressurisation.

La voiture est sortie de son emplacement. Je serrais et pressais la balle dans ma main et n'en revenais pas. Des sacrés lascars ces Russes, je me disais.

Dix minutes plus tard, on chargeait la Lada à fond. De notre garage, on a accès direct à la maison. On a transbahuté tous les trucs qui nous paraissaient utiles d'une manière ou d'une autre. D'abord du pain, des biscottes, et de la confiture, puis des boîtes de conserve, au cas où. Du coup, on avait besoin d'assiettes, de couteaux et de cuillères. Et puis on a emballé une tente pour trois personnes, des sacs de couchage et des tapis de sol. Les tapis de sol, on les a ressortis tout de suite pour les remplacer par des matelas gonflables. De fil en aiguille, on a trimballé la moitié de la maison dans la voiture. Et puis on s'est dit qu'on allait peut-être pas avoir besoin de tout ça, et on a commencé à tout ressortir.

On a foutu le bazar grave. On s'est par exemple disputés pour savoir si on avait besoin ou non de rollers. Tschick argumentait qu'en cas de panne d'essence, l'un de nous pouvait aller à la prochaine station-service avec, mais moi je disais que puisqu'on y était, on pouvait tout aussi bien emporter le vélo pliable. Ou aller directement en Valachie à vélo, d'ailleurs. Tout à la fin, on a eu l'idée d'emporter un bac d'eau, et ça, ça s'est avéré la meilleure de nos idées. Ou plutôt la seule bonne idée. Parce que tout le reste, c'était de la pure débilité mentale. Des raquettes de badminton, un énorme tas de mangas, quatre paires de chaussures, la boîte à outils de mon père, six pizzas surgelées. Le truc qu'on a pas emporté, en tout cas, c'était nos portables.

– Sinon, n'importe quel suceur de bites peut nous localiser, a dit Tschick.

Et pas de CD non plus. Y avait certes d'énormes baffles à l'arrière de la Lada, mais seulement un lecteur de cassettes déglingué vissé dans la boîte à gants. Cela dit, j'étais plutôt content de pas me payer Beyoncé dans la voiture. Et bien sûr, on a aussi pris les deux cents euros et tout l'argent que j'avais, bien que j'aie aucune idée de ce qu'on voulait en faire. Je m'imaginais traverser des régions inhabitées, des déserts en gros. J'avais pas bien regardé sur Wikipédia à quoi ça ressemblait, le chemin pour la Valachie. Mais qu'il y ait de l'animation sur le chemin, ça me paraissait pas bien probable.

20

J'avais passé mon bras par la fenêtre et posé ma tête dessus. On roulait à trente à l'heure à travers champs et prairies, quelque part après Rahnsdorf. À l'horizon, le soleil se levait lentement.

C'était le truc le plus sympa et le plus bizarre que j'aie jamais vécu. Dur de dire ce qui était bizarre là-dedans ; après tout, c'était qu'un trajet en voiture et j'avais souvent pris la voiture. Mais bon, c'était quand même autre chose qu'être assis à côté d'adultes qui causent béton désactivé et Angela Merkel. Là, personne ne parlait dans la voiture. Tschick aussi avait passé le bras par la fenêtre, et de sa main droite, il conduisait la voiture le long d'une petite montée. C'était comme si la Lada roulait toute seule à travers champs, c'était une autre conduite, un autre monde. Tout était plus grand, les couleurs plus repues, les bruits en dolby surround ; et franchement, j'aurais pas été étonné de voir d'un coup débarquer Tony Soprano, un dinosaure ou une navette spatiale devant nous.

On était sortis de Berlin par le chemin le plus direct, laissant le trafic du matin derrière nous, et on traversait les villages environnants par des routes départementales désertes. Du coup, le premier truc qu'on a remarqué, c'est qu'on avait pas de carte routière. Seulement un plan des rues de Berlin.

– Les cartes routières, c'est pour les foufounes, a dit Tschick.

Et là, il avait logiquement raison. Mais comment on était censés rejoindre la Valachie alors qu'on savait même pas où était Rahnsdorf – ça, ça s'annonçait quand même comme un souci. Du coup, on a pris la route du sud. La Valachie se trouvant en Roumanie et la Roumanie au sud.

Le second souci, c'était qu'on savait pas où était le sud. Dès le matin, de lourds nuages d'orage s'étaient levés, et on ne voyait plus le soleil. Dehors, il faisait au moins quarante degrés. Il faisait encore plus chaud et plus lourd que le jour précédent.

J'avais bien cette petite boussole accrochée à mon trousseau de clés que j'avais gagnée d'un distributeur de chewing-gums. Mais dans la voiture, elle indiquait pas le sud, visiblement ; et dehors aussi elle indiquait un peu ce qu'elle voulait. On s'est arrêtés exprès pour contrôler ; et en sortant de la voiture, j'ai remarqué qu'y avait quelque chose sous le tapis – une cassette audio. Ça s'appelait *The Solid Gold Collection de Richard Clayderman*. En fait, c'était pas de la musique, plutôt un genre de pling-pling sur piano, Mozart. Mais comme on avait rien d'autre et qu'on savait pas s'il y avait peut-être autre chose sur la cassette, on a d'abord écouté. Quarante-cinq minutes. Vieille canaille. Cela dit, je dois avouer qu'après avoir suffisamment dégueulé sur Riiiiichard et son piano, on a aussi écouté l'autre face, où y avait exactement la même chose, et c'était quand même mieux que rien. Sérieux, je l'ai pas dit à Tschick, et même maintenant je le dis pas volontiers, mais cette merde en mineur, ça m'a rendu complètement paf. Ça me faisait tout le temps penser à Tatiana et à la tête qu'elle avait faite quand je lui avais offert le dessin – et puis on s'est retrouvés à valdinguer sur l'autoroute avec « Ballade pour Adeline ».

On avait effectivement, je sais pas trop comment, atterri sur une bretelle d'autoroute ; et Tschick, qui certes savait à peu près conduire mais n'avait encore jamais fait l'expérience d'un truc genre autoroute allemande, faisait de furieux tours de manivelle avec le volant. Au moment où, arrivé en bas, il aurait dû s'insérer dans la file, il nous a sorti un freinage de ouf, a réappuyé sur le champignon, a de nouveau freiné, fait la brasse coulée sur la bande d'arrêt d'urgence avant d'enfin faire son crochet à gauche. Un miracle que personne nous soit rentré dedans. J'appuyais de toutes mes forces vers l'avant avec mes pieds, pensant que si on mourait maintenant, ce serait la faute à Riiiiichard et son piano. Mais nous ne mourûmes pas. Pendant que le pling-pling s'envolait vers des hauteurs insoupçonnées, on s'est mis d'accord de ne plus prendre que des petites routes et des chemins de campagne après la prochaine sortie.

L'autre problème, c'était le type dans sa Mercedes noire qui était apparu sur notre gauche. Il lorgnait vers nous en faisant de drôles de moulinets avec les bras. Avec ses doigts, il avait l'air d'indiquer des chiffres et nous montrait son téléphone portable, comme pour y inscrire notre numéro de plaque. Moi j'avais super les boules, mais Tschick a juste haussé les épaules et fait comme s'il était reconnaissant au type de nous avoir signalé qu'on avait encore les phares allumés. On a fini par le perdre dans la circulation.

Le fait est que Tschick paraissait un peu plus âgé que quatorze ans. Mais en aucun cas dix-huit. Cela dit, on savait pas trop non plus de quoi il avait l'air, à pleine vitesse et à travers des vitres sales. Pour tester, on a d'abord fait quelques essais sur un chemin de traverse désert. Je me suis mis sur le bas-côté et Tschick est passé une vingtaine de fois devant moi pour que je détermine comment il passait le plus pour un adulte. Il a placé nos deux sacs de couchage comme coussins sur le siège conducteur, a remis mes lunettes de soleil, s'est planté une cigarette dans le coin de la bouche, et s'est collé quelques morceaux de scotch noir sur le visage pour y simuler une barbe à la Johnny Depp. Cela dit, il ressemblait pas à Johnny Depp ; il ressemblait à un jeune de quatorze ans qui s'est collé du scotch noir sur la tronche. À la fin, il a tout arraché et s'est foutu un tout petit morceau carré de scotch sous le nez. Comme ça il ressemblait à Hitler. Mais effectivement, vu d'un peu loin, c'était ça qui le faisait le plus. Et puisqu'on était de toute façon au fin fond du Brandebourg, on risquait pas le conflit politique.

Restait le problème de l'orientation. On avait vu Dresde indiqué, et Dresde, on était assez sûrs que c'était au sud de Berlin. Du coup on a pris cette direction. Mais comme après, lorsqu'on avait le choix entre deux chemins, on choisissait dans la mesure du possible le plus petit des deux, on trouvait de moins en moins de panneaux ; et en plus, ils indiquaient pas Dresde, mais le prochain bled. Le sud, c'est direction Burig ou Freienbink ? On a décidé de tirer à pile ou face. Tschick a trouvé l'idée de pile ou face super et a dit que désormais on ne ferait plus que comme ça. Pile à droite, face à gauche, et si la pièce reste sur la tranche, tout droit. Comme logiquement, la pièce restait jamais sur la tranche, on n'avançait plus du tout. Du coup, on a vite laissé tomber le coup de la pièce et on s'est mis à rouler selon le principe droite-gauche-droite-gauche. Ç'avait été ma proposition, mais à vrai dire c'était pas beaucoup mieux. On pourrait penser que, si on tourne alternativement à droite puis à gauche, on peut pas tourner en rond, mais en l'occurrence, nous, on y est arrivés. Au moment où on s'est retrouvés pour la troisième fois devant le panneau qui indiquait Markgrafpieske à gauche et Spreenhaben à droite, Tschick a eu l'idée de ne plus viser que les lieux qui commençaient par M ou T. Mais y en avait incontestablement pas assez. J'ai alors proposé de suivre les panneaux avec un kilométrage en nombre premier, mais on a tourné par erreur à Bad Freienwalde 51 km, et le temps de s'en rendre compte (trois fois dix-sept), on était de toute façon complètement ailleurs.

Le soleil a fini par percer. Le chemin a bifurqué au milieu d'un champ de maïs. Complètement à gauche, des pavés à perte de vue ; à droite, du sable à n'en plus finir. On s'est disputés de savoir quel chemin allait vers le sud. Le soleil était pas tout à fait au milieu, il était pas encore onze heures.

– Le sud, c'est là, disait Tschick.

– N'importe quoi. Là, c'est l'est.

On mangeait des petits gâteaux au chocolat à moitié fondus. Les insectes, dans le champ de maïs, faisaient un boucan du tonnerre.

– Tu sais qu'on peut déterminer les points cardinaux avec une montre ?

Tschick a retiré sa montre. Un vieux modèle russe qu'on remonte. Il l'a placée entre nous deux, mais je savais pas comment ça marchait, et lui non plus. Sans doute il fallait genre diriger l'une des aiguilles vers le soleil et du coup l'autre montrait la direction du nord, ou un truc comme ça. Mais à presque onze heures, les deux aiguilles pointaient vers le soleil, donc là, déjà, c'était clairement pas le nord.

– Peut-être elle montre aussi le sud, a dit Tschick.

– Et à onze heures et demie, le sud est là, alors ?

– Ou alors c'est à cause de l'heure d'été. En été, ça marche pas. Je vais tourner d'une heure en arrière.

– Et qu'est-ce que ça va changer ? Dans une heure, l'aiguille aura fait le tour. Les points cardinaux, ils tournent pas sans arrêt.

– Mais si le compas tourne – peut-être c'est un gyrocompas ?

– Un gyrocompas !

– T''as jamais entendu parler d'un gyrocompas ?

– Mais un gyrocompas, ça a rien à voir avec le fait de tourner. Ça tourne pas, j'ai dit. Ça a un rapport avec l'alcool. Y a de l'alcool dedans.

– Tu te fous de ma gueule.

– J'ai lu ça dans un livre, où ils chavirent avec leur bateau, et y a un matelot qui pète le compas parce qu'il est alcoolo, et du coup ils perdent complètement l'orientation.

– Ç'a pas l'air d'une encyclopédie, ton livre.

– Mais c'est vrai. Le bouquin s'appelle *Meeresbär*. Ou *Meereswolf*.

– Tu veux dire *Steppenwolf*, d'Hermann Hesse. Y a aussi une histoire de drogue, là-dedans. Mon frère lit des trucs comme ça.

– *Steppenwolf*, c'est un groupe de hard rock, j'ai dit.

– Bon, puisqu'on sait pas exactement où se trouve le sud, on a qu'à prendre le chemin de sable, a dit Tschick en remettant sa montre. Y aura moins de trafic.

Et comme toujours, il avait raison. C'était la bonne décision. Pendant une heure, on n'a rencontré aucune voiture. On était maintenant quelque part dans la pampa ; il n'y avait même plus de maison en vue. Un champ était plein de courges, grosses comme des medecine balls.

21

Le vent s'est levé, le vent s'est calmé. Le soleil a disparu derrière de sombres nuages ; deux gouttes de pluie ont giclé sur le pare-brise. Elles étaient tellement grosses que toute la vitre était mouillée. Tschick a accéléré. Les arbres se courbaient sous le vent ; sous l'effet d'une rafale, notre voiture a failli faire une embardée sur la voie d'en face. Tschick a tourné dans un chemin de pierres à travers champs. Tandis que le pling-pling du piano prenait des accents dramatiques, le chemin s'est brusquement arrêté au beau milieu des blés, un kilomètre plus loin. Tschick n'a pas freiné.

– Je vais quand même pas faire marche arrière maintenant !

Ça a fait un boucan épouvantable. Les tiges crépitaient sur la tôle et contre les portières. Tschick s'est mis au point mort, laissant la voiture rouler dans le champ de blé, avant de repasser en première et d'accélérer. Le moteur s'est lentement mis en route, et le capot a fendu en deux la mer de blé jaune, comme un chasse-neige. La Lada faisait certes de drôles de bruits, mais elle traversait le champ sans encombre. En revanche, c'était dur de s'orienter, parce qu'on voyait pas trop au-dessus des brins. Aucune ligne d'horizon. Une troisième goutte est tombée sur notre vitre. Le terrain montait légèrement. On a fait de petits virages et autres fioritures avant de retomber sur une de nos percées. J'ai alors proposé à Tschick d'écrire nos noms dans le champ pour qu'ils puissent être lus depuis un hélico ou plus tard sur Google Earth. Mais on s'est plantés dès la ligne transversale du T et on a perdu le fil.

On a continué de tourner avant de crapahuter sur une colline. Mais quand on est arrivés au sommet, le champ a brusquement pris fin. Tschick a freiné juste à temps. Les pattes arrière de la Lada étaient encore plantées dans les céréales ; à l'avant, son museau admirait le paysage. Repu de vert, un pré à vaches tombait à pic devant nous, libérant la vue sur l'infini des champs, sur les bosquets et les petites routes, sur les forêts et les chaînes de montagnes. Les nuages s'accumulaient à l'horizon. Des éclairs de chaleur zébraient le ciel au-dessus d'un clocher, mais il régnait un silence de mort. La quatrième goutte a claqué sur la vitre. Tschick a éteint le moteur. J'ai fermé son claquet à Clayderman.

Pendant quelques minutes, on a fait que regarder. De petits cumulus clairs voletaient sous les nuages noirs. Des voiles gris-bleu couraient sur les chaînes de collines proches et lointaines. Les nuages s'élevaient, s'approchant de nous dans une valse.

– *Independance Day*, a dit Tschick.

On a sorti du pain, du Coca et de la confiture, et pendant qu'on était en train de monter un pique-nique dans notre voiture, le ciel s'est assombri. C'était le début de l'après-midi, mais il faisait noir comme en pleine nuit. Peu après, j'ai vu une vache tomber à la renverse dans le pré. Je pensais d'abord m'être trompé, mais Tschick l'avait vue aussi. Toutes les autres vaches s'étaient tournées cul au vent, mais celle-là s'était juste renversée. Le vent s'est alors arrêté aussi brusquement qu'il était apparu. Pendant une minute, il s'est rien passé. On pouvait même plus lire l'inscription sur la bouteille de Coca. Et puis un seau d'eau a éclaté sur notre vitre avant. La pluie est tombée comme un mur.

Des heures durant. Ça a pété et grondé et coulé à flots. Une branche grosse comme le bras chargée de feuilles a volé à travers champ ; on aurait dit un enfant faisant du cerf-volant. Lorsque, le soir venu, il s'est enfin arrêté de pleuvoir et qu'on a pu crapahuter hors de la voiture, le champ de blé était tout aplati et les prés devant nous s'étaient transformés en marécages. Il était impossible de rouler, on se serait embourbés. Du coup, on a passé notre première nuit sur la colline, à dormir sur les sièges. C'était pas hyper confortable, mais on n'avait pas vraiment d'autre choix, vu la gadoue dehors.

22

J'ai à peine dormi. L'avantage, c'est que, dès les premières lueurs de l'aube, j'ai vu le fermier parcourir la vallée sur son tracteur. Je savais pas s'il nous avait vus, mais j'ai réveillé Tschick qui a immédiatement mis le moteur en route. Cette marche arrière pour redescendre la colline, c'était plus de la glisse que de la conduite. Mais on a rejoint la route. Et on s'est cassés.

Les petits gâteaux au chocolat étaient à nouveau mangeables. On en a fait notre petit déjeuner. Après, Tschick s'est mis en tête de m'apprendre à conduire. On était dans une prairie, en lisière de forêt. Au début, j'étais pas hyper chaud, mais Tschick estimait que c'était débile de piquer une bagnole si c'est pour pas savoir conduire.

– D'ailleurs, c'est juste que t'as les jetons.

Ça, c'était vrai.

Alors Tschick a fait un tour de piste pour que j'observe comment il faisait, sur quelle pédale il appuyait, comment il passait les vitesses, etc. J'avais souvent vu mes parents, mais j'avais jamais fait vraiment attention. Je savais même pas exactement quelle pédale faisait quoi.

– À gauche, c'est l'embrayage. Tu le laisses remonter tout doucement, t'appuies sur l'accélérateur en même temps, et... Tu vois ? Tu vois ?

Je voyais que dalle, bien sûr. Laisser remonter ? Appuyer sur l'accélérateur ?

Tschick m'a expliqué. Pour démarrer, on met la première. Pour ça, faut d'abord enfoncer l'embrayage, appuyer par à-coups sur l'accélérateur tout en lâchant la pédale d'embrayage. C'est le plus dur, le démarrage. J'ai mis trois plombes avant que la Lada ne réagisse – et ça m'a tellement surpris que j'ai relevé les deux pieds en même temps. La voiture a fait un bond et le moteur s'est éteint tout seul.

– Rappuie juste sur l'embrayage, comme ça tu peux pas caler. Aussi quand tu freines : toujours appuyer sur l'embrayage, sinon tu cales.

Mais avec le frein, ça a encore duré un moment. C'est aussi le pied droit qui gère la pédale de frein, et ça, au début, ça m'a complètement embrouillé. Pour une raison qui m'échappe, mes deux pieds voulaient appuyer en même temps sur la pédale. Puis j'ai fini par y arriver. Et alors là, je me suis mis à faire le cake en première dans le pré. C'était le délire. La Lada faisait ce que je voulais. Quand j'ai accéléré, le moteur s'est mis à chialer ; Tschick

148

m'a dit d'appuyer trois secondes à fond sur l'embrayage et il a mis la seconde pour moi.

– Maintenant, accélère !

Et d'un coup j'ai fusé droit devant moi à trente à l'heure. Heureusement que le pré était très grand.

Je me suis exercé pendant des heures. J'ai vraiment mis le temps avant de faire démarrer la voiture, de passer la troisième et de redescendre en première sans caler sans arrêt. J'étais en nage. Mais je m'en lassais pas. Tschick, lui, se prélassait au soleil sur le matelas pneumatique à la lisière de la forêt. Au cours de la journée, il n'est passé que deux piétons qu'ont pas fait attention à nous. À un moment donné, j'ai fait un arrêt d'urgence près de Tschick pour lui demander comment fonctionnait la mise en court-circuit. Ben oui : maintenant que je conduisais, je voulais aussi savoir le reste, bien sûr.

Tschick a remonté ses lunettes de soleil, s'est assis sur le siège conducteur et a plongé ses mains dans la salade de câbles.

– Alors, tu branches le plus en continu, le quinze sur le trente, pour ça y a la borne épaisse. Faut qu'elle soit épaisse. Comme ça, l'allumage est sous tension. Tu mets ensuite le cinquante dessus, elle mène au relais du démar-reur – et voilà. Contact !

– Et c'est pareil pour toutes les voitures ?

– Je connais que celle-là. Mais mon frère dit que oui. Le quinze, le trente et le cinquante.

– C'est tout ?

– Faut aussi que tu débloques le volant. Le reste, c'est que dalle. Tu forces avec le pied, là, et c'est tout. Et tu shuntes la pompe à essence, bien sûr.

Eh oui, bien sûr, je shunte la pompe à essence. D'abord, j'ai rien dit. On avait bien appris quelques trucs en physique sur le courant électrique. Y avait bien des histoires de plus et de moins, d'électrons qui bruissent dans le câble comme de l'eau, et tout ça. Mais visiblement, ç'avait pas grand-chose à voir avec ce qui se passait dans notre Lada. Contact, plus en continu – comme si c'était un tout autre courant électrique que dans les câbles du cours de physique, comme si on avait atterri dans un monde parallèle. En l'occurrence, le monde parallèle, c'était probablement le cours de physique. Car le fait que ça fonctionne montrait bien que c'est Tschick qu'avait raison.

23

Après avoir regagné la départementale, on est passés devant une boulangerie, et on a tous les deux eu soif de café. On a garé la voiture derrière un buisson, peu après le village, et on est retournés à la boulangerie à pied. On a acheté du café et des sandwichs. Au moment même où je voulais mordre dans mon pain, quelqu'un m'a hélé dans le dos :

– Klingenberg, qu'est-ce que tu fous là ?

Lutz Heckel, le saucisson sur échasses, était assis à la table derrière nous, accompagné de deux personnes : un trois tonnes sur échasses et un deux tonnes sur colonnes.

– Tiens, le Mongol est là, lui aussi.

Il avait l'air étonné, mais il a dit ça sur un ton qui ne laissait aucun doute sur ce qu'il pensait des Mongols en général et de Tschick en particulier.

– Visite de famille, j'ai répondu en me détournant rapidement.

Ça me paraissait pas le moment de discuter.

– Je savais pas que t'avais de la famille ici ?

– C'est moi, a dit Tschick en trinquant sa tasse de café contre la table. À Zwietow. Y a un centre d'accueil pour les métèques.

Je me rappelais pas avoir vu Heckel à la soirée de Tatiana. En l'occurrence, le truc qu'il a demandé tout de suite après, c'est comment on était venus jusqu'ici. Tschick a inventé une histoire de tour à vélo, et le gros trois tonnes a demandé :

– Copindclafatoi ?

Après quelques minutes de silence, des clés de voiture ont cliqueté derrière nous, un banc a été déplacé, et le père Heckel est entré dans la boulangerie en passant devant nous avec ses guiboles. Il en est ressorti les bras chargés de sand-wichs, et il en a balancé quatre sur notre table en s'écriant :

– Fin kekfose de férieux pour nos fringants fycliftes.

Et puis il a battu le bois des os de ses doigts, et la famille trois tonnes s'en est allée promener sur la place du marché.

– Ouh là ! a fait Tschick.

Je savais pas quoi dire. On est restés encore un moment assis devant la boulangerie, complètement paf. On avait vraiment besoin de café, à présent. Et de sandwichs aussi.

Toutes les demi-heures, un car de touristes négociait son virage sur la place du marché. Y avait un petit château fort à visiter, quelque part au-dessus du village. Tschick était assis dos à l'arrêt de bus, c'était moi qui me tapais la vue des retraités qui coulaient à flots des cars. Car c'était exclusivement des retraités. Ils portaient tous des vêtements bruns ou beiges et un chapeau ridicule ; et quand ils gravissaient la petite pente devant nous, ils haletaient comme s'ils avaient fait un marathon.

Je pouvais pas imaginer devenir un jour un de ces retraités beiges. Pourtant, tous les hommes âgés que je connaissais étaient des retraités beiges. Ils étaient tous beiges. J'avais vachement de mal à me figurer qu'un jour ces vieilles femmes aient pu être jeunes. Qu'elles aient eu l'âge de Tatiana, qu'elles se soient pomponnées pour aller dans un dancing où elles avaient vraisemblablement été qualifiées de belles plantes ou un truc du genre, il y a cinquante ou cent ans. Pas toutes, bien sûr. Certaines ont bien dû être nulles et moches déjà à l'époque. Mais même les nulles et les moches ont sans doute eu l'intention de faire quelque chose de leur vie. Elles avaient certainement des projets d'avenir. Les normales aussi, elles avaient eu des projets d'avenir. Et ce qui pour sûr faisait pas partie de ces projets d'avenir, c'était de devenir retraité beige un jour. Plus je pensais à ces vieilles qui sortaient de ces bus, plus ça me déprimait. Ce qui me déprimait le plus, c'était l'idée que parmi ces retraitées, il devait y en avoir quelques-unes qui n'avaient été ni nulles ni moches pendant leur jeunesse. Qui avaient été belles, les plus belles de leur classe, celles dont tout le monde avait été amoureux, celles pour qui y avait eu quelqu'un qu'était resté assis des heures sur la tour d'Indiens et s'était surexcité à la seule lumière de leur chambre qui s'allume. Ces jeunes filles aussi étaient des retraités beiges à présent ; on pouvait plus les distinguer des autres. Toutes avaient la même peau grise, les mêmes nez et les mêmes oreilles grassouillettes. Ça me déprimait à m'en ficher des haut-le-cœur.

– Psst ! a fait Tschick.

J'ai suivi son regard. Deux policiers longeaient les files de voitures garées, notant leurs plaques d'immatriculation. Sans un mot, on a pris nos gobelets en carton et un air genre mine de rien, et on est retournés fissa jusqu'au buisson où était garée la Lada. On a fait la route du matin en sens inverse pour reprendre la départementale, et puis on s'est tirés à cent à l'heure. Pas besoin de tergiverser des heures.

Dans une forêt, on a trouvé un parking où les gens se garent pour se promener. Par chance, y avait pas mal de voitures. On voulait dévisser une plaque d'immatriculation, mais la plupart avaient pas de vis. Ce qu'on a fini par trouver, c'est une vieille Coccinelle avec une plaque munichoise. On lui a refilé notre plaque à nous, croisant les doigts pour que le conducteur ne s'en rende pas compte tout de suite.

Puis on a tracé sur quelques kilomètres à travers champs, avant de tourner dans une immense forêt et de garer la Lada sur le terrain d'une scierie désaffectée. On a pris nos sacs à dos et on a marché dans la forêt en suivant un sentier de randonnée. On avait pas l'intention d'abandonner la Lada ; mais sur le moment on se sentait assez moyens, malgré le changement de plaque. Il nous semblait plus intelligent de retirer le véhicule de la circulation pendant quelque temps. De passer peut-être un jour ou deux dans la forêt, et puis de repasser voir plus tard. C'était ça, le plan. On savait même pas si c'était nous qu'ils cherchaient. Et avec un peu de chance, ils ne nous chercheraient plus d'ici quelques jours.

Le chemin arrêtait pas de monter. Sur les hauteurs, la forêt s'éclaircissait. Y avait un belvédère entouré d'un muret qui offrait une magnifique vue sur le paysage. Mais le mieux, c'était un petit kiosque où acheter de l'eau, des barres en chocolat et des glaces. On allait pas mourir de faim, toujours. Non loin de là, en redescendant la montagne, y avait une prairie en pente douce. On y a trouvé un coin tranquille derrière d'énormes buissons de sureau. On s'est allongés au soleil et on s'est assoupis.

À la tombée de la nuit, on s'est ravitaillés en Snickers et Coca, bien comme il faut, puis on a rampé dans nos sacs de couchage en écoutant le grésillement des grillons. Pendant toute la journée, des randonneurs, des cyclistes et des bus avaient défilé pour profiter de la vue ; mais avec le crépuscule, le calme était revenu. On avait la montagne entière pour nous tout seuls. Il faisait encore chaud, presque trop chaud ; et Tschick, qui avait réussi à soutirer deux bières à grand renfort de gomina dans les cheveux, a ouvert les bouteilles avec son briquet.

Allongés sur le dos, on regardait les étoiles se multiplier au-dessus de nos têtes. Entre les petites étoiles apparaissaient de plus petites encore, et entre les plus petites d'encore plus petites. Le noir sombrait dans un espace de plus en plus lointain.

– C'est énorme, a dit Tschick.

– Ouais, j'ai dit. Énorme.

– C'est encore mieux qu'à la télé. Même si la télé, c'est bien aussi. Tu connais *La Guerre des mondes* ?

– Ben oui.

– Tu connais *Starship Troopers* ?

– Avec les singes ?

– Avec les insectes.

– Là où y a un cerveau à la fin ? L'énorme coccinelle avec un cerveau et des trucs tout baveux ?

– Exactement.

– C'est énorme !

– Ouais, c'est énorme. Et t'imagines, quelque part là-haut, sur une de ces étoiles, ça se passe vraiment comme ça ! Y a vraiment des insectes qui vivent, et à cette seconde même, ils se livrent une bataille sans merci pour la suprématie de l'univers – et personne le sait.

– Sauf nous, j'ai dit.

– Sauf nous, exact.

– Mais on est les seuls à le savoir. Même les insectes, ils savent pas qu'on le sait.

– Sérieux, t'y crois ?

Tschick s'est accoudé et m'a considéré.

– Tu crois qu'y a quelque chose ? Je veux dire, pas forcément des insectes, mais quelque chose ?

– J'sais pas. J'ai entendu dire qu'on pouvait calculer. Que c'était pas super probable qu'y ait quelque chose, mais que comme tout est tellement infini, ben du coup, super pas probable multiplié par l'infini ça donne finalement un certain nombre de planètes où y a quelque chose. Après tout, chez nous ça a marché. Et quelque part là-haut, garanti qu'y a aussi des insectes géants.

– C'est exactement ce que je pense aussi, exactement ce que je pense !

Tschick s'est remis sur le dos, redressant avec peine son regard.

– Énorme. Non ?

– Ouais. Énorme.

– Là, juste maintenant, ça déchire.

– Et t'imagines : les insectes, ils ont aussi un ciné, bien sûr ! Ils tournent des films sur leur planète, et quelque part, dans le ciné des insectes, ils sont en train de mater un film qui joue sur Terre et qui parle de deux jeunes qui volent une Lada.

– Et c'est le film d'horreur absolue ! a dit Tschick. Les insectes sont dégoûtés par nous, parce qu'on est pas du tout baveux.

– Mais tous pensent que c'est que de la science-fiction, et qu'en vrai on existe pas. Les hommes, les voitures – c'est de la connerie monumentale. Personne n'y croit chez eux.

– Sauf deux jeunes insectes ! Eux ils y croient. Deux jeunes insectes en formation, ils viennent de détourner un hélicoptère de l'armée, survolent la planète insecte et pensent exactement aux mêmes trucs. Ils pensent qu'on existe, vu que nous aussi, on pense qu'ils existent.

– Énorme !

– Énorme.

Je contemplais les étoiles dans leur incompréhensible infinité, et j'en fus épouvanté. Tout à la fois touché et épouvanté. Je réfléchissais à ces insectes, qui en devenaient presque visibles, à présent, sur leur petite galaxie scintillante. Je me suis tourné vers Tschick ; lui m'a regardé, m'a regardé dans les yeux, et il a dit que tout ça, c'était énorme. Et c'était vrai. C'était vraiment énorme.

Et les grillons ont grésillé toute la nuit.

24

Lorsque je me suis réveillé le lendemain, j'étais seul. J'ai regardé autour de moi. Une légère brume enveloppait la petite prairie. Aucune trace de Tschick. Comme son matelas pneumatique était encore là, je me suis pas fait de soucis, et j'ai essayé de me rendormir. Mais l'inquiétude a fini par me gagner. Je me suis levé et je suis allé au belvédère, embrassant les alentours du regard. J'étais le seul homme sur la montagne. Le kiosque était encore fermé. Le soleil avait l'aspect d'une pêche rouge dans une coupe de lait. Avec les premiers rayons, un groupe de cyclistes a surgi qui gravissait la côte ; dix minutes ne s'étaient pas écoulées que Tschick est apparu lui aussi. J'étais assez soulagé. Il était juste descendu à la scierie pour voir si la Lada était toujours là. Elle était toujours là. On a délibéré un moment avant de décider de reprendre la route aussitôt. Quelque part, cette attente n'était pas franchement utile.

Pendant ce temps, les cyclistes s'étaient installés près de nous sur le muret. Y avait une douzaine de filles et de gars de notre âge, plus un adulte. Ils étaient en train de prendre leur petit déjeuner et parlaient à voix basse. Ils avaient vraiment une drôle d'allure : pour une excursion scolaire, le groupe était trop petit, pour une famille, il était trop gros, et pour l'excursion du foyer d'handicapés, trop bien habillé. Y avait quelque chose qui clochait dans ce groupe. Ils portaient des fringues pas possibles. Pas des trucs de marque, mais pas cheap non plus. Au contraire : les vêtements paraissaient très chers, mais faisaient genre handicapé. Et puis ils avaient tous des tronches très, très propres. Je sais pas comment dire ça, leurs tronches étaient très propres sur elles. Le plus curieux, c'était leur animateur. Il parlait avec eux comme s'ils étaient ses supérieurs. Tschick a demandé à l'une des filles de quel foyer ils s'étaient échappés, et la nana a répondu :

– Aucun. Nous sommes les Aristos à Vélo. Nous allons de domaine en domaine.

Elle a dit ça avec beaucoup de sérieux et de politesse. Peut-être voulait-elle faire une blague, et en réalité c'était le tour à vélo de l'école de cirque local.

– Et vous-mêmes ?

– Quoi, nous-mêmes ?

– Êtes-vous également à vélo ?

– Non. Nous, on est en bagnole, a expliqué Tschick.

La nana s'est retournée vers le mec d'à côté et lui a lancé :

– Tu avais tort. Ce sont des automobilistes.

– Et vous, vous êtes quoi au juste ? a repris Tschick. C'est quoi, « Aristos à Vélo » ?

– Que trouves-tu de si remarquable à cela ? Est-ce qu'automobiliste, ce n'est pas tout aussi remarquable ?

– Oui, mais Aristos à Vélo ?!?

– Oui. Et vous, vous êtes les Roturiers en Fusée.

Eh ben, c'était une drôle, celle-là. Peut-être qu'il y avait eu un déchargement de coke devant l'école de cirque locale ? En tous les cas, on a pas réussi à en savoir plus sur ce qu'ils fichaient sur la montagne, ces mecs et ces nanas ; mais on a effectivement doublé toute la troupe un peu plus tard avec la Lada. La fille a agité sa main, et nous aussi on a agité nos mains. Le coup du vélo, déjà, c'était vrai. À cette heure-là, on se sentait de nouveau vachement sûrs de nous, et j'ai fait une proposition à Tschick : s'il fallait un jour qu'on s'adresse la parole sous des pseudonymes, lui serait Comte Lada et moi Comte Henri J'me la Pète.

25

Mais le véritable problème, ce matin-là, c'était qu'on avait rien à manger.

On avait emporté des boîtes de conserve, mais pas d'ouvre-boîte. Y avait encore des Krisprolls, mais pas de beurre. Et les six pizzas étaient clairement immangeables une fois décongelées. J'ai essayé d'en griller une avec mon briquet, mais ça a pas du tout marché. Au finish, six frisbees ont quitté la Lada comme des ovnis l'étoile de la mort en feu.

Le salut est venu quelques kilomètres plus loin : un panneau jaune indiquait un petit village sur la gauche, et une pub était accrochée à ce même panneau : *Lidl 1 km*. À distance, on apercevait déjà l'hypermarché planté dans le paysage comme une boîte à chaussures.

Le village, à côté, était minuscule. On l'a traversé de bout en bout avant de se garer devant une grosse grange, un peu à l'écart. On est retournés à pied. L'endroit n'était constitué que d'une dizaine de rues qui aboutissaient toutes à une fontaine, sur la place du marché. Mais de là, on ne voyait plus le supermarché. Tschick voulait prendre à gauche, je voulais continuer tout droit. Et y avait personne dans la rue à qui demander. Les ruelles étaient désertes. Finalement, on a croisé un garçon sur son vélo. C'était un vélo en bois sans pédales ; pour avancer, il lui fallait catapulter ses jambes en avant et en arrière. Il avait environ douze ans, et à vue de nez dix de trop pour ce vélo. Ses genoux rasaient le sol. Il s'est arrêté pile devant nous, et nous a observés de ses immenses yeux qui lui donnaient un air de grosse grenouille handicapée.

Tschick lui a demandé où était le Lidl. Le garçon a fait un sourire mi-naïf, mi-audacieux. C'était incroyable ce qu'il avait de gencives.

– Nous ne faisons pas nos courses au supermarché, a-t-il décrété d'un air déterminé.

– Intéressant. Et il est où, le supermarché ?

– Nous faisons toujours les courses chez Froehlich.

– Ha, ha, chez Froehlich !

Tschick a fait un signe de tête, genre cow-boy qui ne veut pas faire de mal à un autre cow-boy.

– Mais nous, ce qui nous intéresserait principalement, ce serait de savoir comment on va au Lidl.

Le garçon a acquiescé avec zèle tout en posant une main sur sa tête comme pour se gratter. De l'autre, il a montré les environs d'un air indécis. Puis son index a fini

par trouver une cible entre les maisons : une ferme esseu-
lée qui se dressait entre de hauts peupliers, juste devant
l'horizon.

– Ça, c'est Froehlich ! C'est là que nous faisons les
courses !

– Fantastique ! a répondu Tschick. Et maintenant : le
supermarché, au jugé ?

Le sourire-gencive montrait clairement qu'il ne nous
fallait plus compter sur une réponse de sa part. Mais y
avait personne d'autre, dans la rue, à qui demander.

– Qu'est-ce que vous voulez y faire ?

– Comment, qu'est-ce qu'on veut y faire ?!? Maik,
Maiki, rappelle-moi ce qu'on veut faire au supermarché ?

– Vous voulez acheter des choses, ou juste regarder ? a
demandé le garçon.

– Regarder ? Tu vas au supermarché pour regarder, ou
quoi ?

– Allez, viens, on s'en va, j'ai dit. On va bien le trouver
tout seuls.

Puis m'adressant au garçon :

– On veut acheter de quoi manger.

J'avais pas l'impression que ça vaille le coup de se
foutre de la gueule du garçon aux yeux de grenouille.

À cet instant, une dame très grande et très pâle a surgi
d'une maison.

– Friedemann ! Friedemann ! Rentre ! Il est midi.

– J'arrive, a répondu le garçon.

Sa voix avait changé. Elle avait d'un seul coup pris la même modulation que sa mère.

– Pourquoi vous voulez acheter à manger ? a-t-il encore demandé.

Et là, Tschick est allé vers la femme pour lui demander où était le Lidl.

– Quel Lidl ?

– Le supermarché, a expliqué Friedemann.

– Ah, l'hypermarché ! a fait la femme.

Elle avait un visage assez impressionnant, à la fois décharné et alerte.

– Nous ne faisons jamais nos courses là-bas. Nous faisons toujours nos courses chez Froehlich.

– C'est ce qu'on nous a dit.

Tschick a sorti son plus courtois sourire. Ça, il savait très bien faire, le sourire courtois. J'avais toujours l'impression qu'il en faisait un peu trop. Mais bon, comme il avait la tronche de l'invasion mongole, ça compensait.

– Qu'est-ce que vous voulez y faire ?

Damned, est-ce que toute la famille était comme ça ? Y avait personne qui savait ce qu'on y fait, dans un supermarché ?

– Faire les courses, j'ai répondu.

– Faire les courses, a repris la femme.

Elle a croisé les bras comme pour s'empêcher de nous montrer le chemin du supermarché, de gré ou de force.

– Ils veulent acheter à manger, a cafté Friedemann.

La femme nous a considérés avec méfiance avant de nous demander si on était du coin – et qu'est-ce qu'on faisait là. Tschick lui a raconté le coup du tour à vélo, la traversée de l'Allemagne de l'Est. La femme a considéré la rue sous toutes ses coutures : pas de trace de vélo aux alentours.

– Et on a un pneu crevé, j'ai dit, le doigt tendu, à la manière de Friedemann, dans une direction indéfinissable. Mais on doit absolument acheter à manger, on a presque rien petit-déjeuné, et...

– Nous déjeunons à midi. Vous êtes les bienvenus, jeunes gens de Berlin. Vous êtes nos invités.

Rien dans sa mine ou dans son attitude n'avait trahi un quelconque changement. Puis elle a montré ses gencives – elle en avait beaucoup, mais pas tout à fait autant que Friedemann. Ce dernier a poussé un cri censé exprimer une sorte d'enthousiasme, a fait faire la culbute à son vélo et s'est dirigé vers la maison. Trois ou quatre enfants plus petits se tenaient sur le pas de la porte et nous scrutaient de leurs grands yeux de grenouille.

Je savais pas quoi dire, Tschick non plus.

– Il y a quoi, pour le déjeuner ? a-t-il fini par demander.

« Rizi-Pisi » fut la réponse. Aucune idée de ce que ça pouvait bien être, le Rizi-Pisi. Je me suis gratté derrière l'oreille. Tschick, lui, a sorti son one man show ; il a écarquillé ses fentes de Mongol et s'est légèrement penché en avant pour dire :

– Ça a l'air magnifique, chère madame.

Alors ça, ça m'a définitivement troué. Allemand pour rapatriés, deuxième leçon.

– Pourquoi t'as fait ça ? j'ai chuchoté tandis qu'on suivait la femme.

Impuissant, Tschick a agité les mains, l'air de dire : « Qu'est-ce que tu voulais que je fasse ? »

Mais au moment de suivre la femme à l'intérieur de la maison, cette dernière a fait un signe à Friedemann. Le garçon nous a alors pris la main et nous a conduits dans le jardin. Je me sentais pas super à l'aise. La seule chose rassurante, c'était que Tschick avait furtivement tapoté son front de l'index à l'insu du garçon.

Dans le jardin, y avait une grande table blanche en bois avec dix chaises. Quatre d'entre elles étaient déjà occupées par les frères et sœurs de Friedemann. La plus âgée devait avoir neuf ans, le plus jeune six. Ils avaient tous la même tronche. La mère a apporté le repas dans une immense marmite, et c'était du riz à la pâtée. C'était visiblement ça, le Rizi-Pisi : du riz à la pâtée. La pâtée était jaunâtre, y avait des petits morceaux et des herbes vertes qui nageaient dedans. La mère a servi tout le monde à l'aide d'une louche, mais personne n'a commencé à manger. À la place, ils ont tous levé leurs bras comme sur commande et se sont pris par les mains ; et comme toute la famille nous regardait, on a levé les bras nous aussi. J'ai pris les mains de Tschick et de Friedemann, tandis que la mère, tête penchée, a murmuré :

– Mouais… C'est peut-être pas la peine, aujourd'hui. Contentons-nous, pour notre cérémonie quotidienne, de saluer nos invités qui ont fait une longue route, de remercier pour le pain de ce jour et… bon appétit.

Puis on a secoué les mains, et on a enfin pu manger. Et là, on peut dire ce qu'on veut, la pâtée, elle était fantastique.

Une fois le repas terminé, Tschick a repoussé son assiette vide des deux mains. Il a déclaré à l'adresse de la ménagère à quel point le repas avait été prodigieux. J'ai approuvé en me grattant derrière l'orcille. Et j'ai répété que ça faisait une éternité que j'avais pas aussi bien mangé. Et Tschick a ajouté que ç'avait été absolument prodigieux. La femme a laissé découvrir un peu de gencive et s'est raclé la gorge. Friedemann nous regardait de ses grands yeux de grenouille. Puis arriva le dessert. Vieille canaille.

Je préférerais ne pas raconter ça. Bon, je le raconte quand même. Florentine, la petite de neuf ans, a apporté le dessert sur un plateau. C'était un truc mousseux, blanc, avec des framboises dessus, réparti dans huit ramequins. Huit ramequins de tailles différentes. Pour moi, c'était clair qu'il allait y avoir mêlée pour le plus gros ramequin – mais j'y étais pas du tout.

Les huit ramequins étaient posés au milieu de la table, serrés les uns contre les autres. Personne n'y a touché. Les enfants glissaient tous nerveusement sur leurs chaises, le regard rivé vers leur mère.

– Allez ! Vite ! a imploré Friedemann.

– Il faut d'abord que je réfléchisse, a rétorqué la mère en fermant brièvement les yeux. OK, j'en ai une.

Elle nous a gratifiés d'un regard bienveillant, Tschick et moi, puis a considéré l'assemblée.

– Qu'obtient Gaunt Merope pour le médaillon de Serpentard lorsqu'elle…

– Douze gallions ! a hurlé Friedemann.

Il en est tombé de sa chaise d'excitation. La table a vacillé.

– Dix gallions ! ont hurlé tous les autres.

La mère a dodeliné de la tête et a souri.

– Je crois que c'était Elisabeth la plus rapide.

Avec nonchalance, Elisabeth s'est adjugé le plus gros ramequin avec le max de framboises. Florentine a protesté et affirmé qu'elle avait été tout aussi rapide. Pendant ce temps, Friedemann martelait son front des deux mains en murmurant : « Dix ! Mais quel con ! Dix ! »

Tschick m'a donné un coup de pied sous la table. J'ai haussé les épaules. Serpentard ? Gallions ?

– Vous n'avez donc pas lu *Harry Potter* ? a demandé la mère. Ça ne fait rien, nous alternons les thèmes.

Tandis que la mère réfléchissait à une nouvelle question, Elisabeth a pris un peu de mousse avec sa cuillère. La main levée, elle a attendu que Friedemann la regarde pour enfourner langoureusement la mousse dans sa bouche.

– Science et géographie ! a annoncé la mère. Comment s'appelait le bateau de recherche avec lequel Alexandre de…

– Pizarro ! a hurlé Friedemann, faisant décoller sa chaise.

Il a tiré sans plus attendre le deuxième plus gros ramequin vers lui et a murmuré, abaissant son nez contre le bord :

– Dix, dix ! Pourquoi j'ai dit douze ?

– C'est injuste, a estimé Florentine. Je le savais aussi. C'est juste parce qu'il hurle plus fort.

La prochaine question de la mère, c'était : Que célèbre-t-on à Pentecôte ? J'ai probablement pas besoin de dire comment le jeu s'est terminé. Lorsqu'il n'est resté que les deux plus petits ramequins, la mère a demandé qui avait été le premier président de la République fédérale. J'ai misé sur Adenauer, et Tschick sur Helmut Kohl. La mère voulait nous donner les desserts quand même, mais Florentine était contre. Et les autres aussi étaient contre. Moi, après ça, je me serais volontiers passé de dessert. Mais c'est alors que Jonas, le plus jeune, âgé de six ans environ, s'est mis à réciter tous les présidents de la République fédérale d'Allemagne dans l'ordre chronologique. Puis il a repris la direction du jeu et nous a demandé quelle était la capitale de l'Allemagne.

– Ben, Berlin, je dirais, quoi, j'ai dit avec l'accent berlinois.

– C'est aussi ce que j'aurais dit, a affirmé Tschick en hochant la tête avec gravité.

Et on peut dire ce qu'on veut, mais la mousse avec les framboises dessus était également fantastique. Je jure n'avoir jamais mangé une mousse aussi d'enfer.

À la fin, on a remercié pour le repas. On allait partir quand Tschick a dit :

– Moi aussi j'ai une question de quiz. Comment détermine-t-on avec une montre où est le nord, quand la montre...

– La petite aiguille pointée vers le soleil ! La bissectrice de l'angle formé entre la petite aiguille et le douze de la montre montre le sud ! a crié Friedemann.

– Correct, a dit Tschick en lui tendant son ramequin avec la dernière framboise.

– Je le savais aussi, a dit Florentine. C'est juste parce qu'il hurle plus fort.

– Moi aussi, je l'aurais peut-être su, a dit Jonas en se forant l'oreille du doigt. Mais peut-être j'l'aurais pas su. J'sais pas. Est-ce que j'l'aurais su, maman ?

Il s'est tourné vers sa mère d'un air dubitatif. Sa mère lui a caressé les cheveux avec affection et a acquiescé. Oui, il l'aurait certainement su.

26

Quand ils nous ont raccompagnés jusqu'au portail pour nous dire au revoir, ils nous ont offert une courge. Une immense courge qui traînait là. On n'avait qu'à l'emporter, nous ont-ils dit, au cas où on aurait un petit creux. On l'a prise, sans trop savoir quoi dire. Ils ont longtemps agité leur main après notre départ.

– Ils sont super, ces gens, a dit Tschick.

Je me suis demandé s'il était sérieux. J'avais l'impression qu'il ne pouvait pas l'être : il s'était quand même tapoté le front avec son index, peu auparavant. Mais à voir son visage, il était tout à fait sérieux. L'index était sérieux, le « super, ces gens » était aussi sérieux. Et il avait complètement raison : c'était des hurluberlus super. Gentils et un peu cinglés. Qui faisaient fichtrement bien à manger et savaient vachement de choses par-dessus le marché – sauf où se trouvait le supermarché. Ça, ils savaient pas.

Finalement, on l'a très bien trouvé sans eux. Après les courses, on est retournés dans la rue où était garée la Lada, chargés comme des bourricots. À un moment donné, j'ai posé la courge par terre et je me suis rabattu dans les buissons pour pisser. Tschick a continué sans se retourner – je me permets de donner les détails parce que c'est important, malheureusement.

Quand je suis ressorti des buissons, Tschick n'était éloigné de la Lada que de quelques pas. Au moment de ramasser la courge, j'ai vu un homme surgir d'un sens interdit, à mi-chemin entre Tschick et moi. Il traînait son vélo sur la route. Il a soulevé le vélo, l'a retourné et posé sur le guidon et la selle. Il avait une chemise jaune, un pantalon verdâtre et deux pinces à vélo ; sur le porte-bagages, y avait une casquette blanche qui s'est fait la malle lorsque le type a retourné le vélo. Et à la casquette, j'ai enfin reconnu que c'était un flic. J'ai aussi vu quelque chose qui nous avait échappé à l'aller : y avait pas qu'une petite maison en briques rouges, devant la grange, y avait aussi un petit panneau de police blanc et vert apposé à la maison. Le shérif du village.

Le shérif en question nous avait pas encore vus. Il a fait tourner les pédales de son vélo, puis a sorti un trousseau de clés de sa poche pour essayer de remettre la chaîne déraillée sur le pignon. Comme ça marchait pas, il a dû y mettre les doigts. Puis il a considéré ses mains sales et les a frottées l'une contre l'autre. Et c'est là qu'il m'a vu. À cinquante mètres de lui un peu plus bas : un jeune avec une énorme courge. Que faire ? Comme il m'avait vu aller dans sa direction, j'ai poursuivi mon chemin. Après tout, je n'avais qu'une courge, et la courge était à moi. J'avais les jambes qui tremblaient, mais ç'avait l'air d'être la bonne décision : le shérif du village est retourné vaquer à son vélo. Mais comme il redressait la tête une nouvelle fois, il a découvert Tschick qui, arrivé à la Lada, avait hissé les sacs sur la banquette arrière et s'apprêtait à s'asseoir sur le siège conducteur. Le flic a arrêté de se frotter les mains. Il a d'abord lorgné sans broncher dans la direction de Tschick ; puis il a fait un pas en avant, avant de s'immobiliser de nouveau. Un jeune qui s'assoit dans une voiture n'en est pas suspect pour autant. Même si c'est sur le siège conducteur. Mais au moment où Tschick allait allumer le moteur, c'était clair ce qui allait se passer. Fallait que je fasse quelque chose. J'ai soulevé la courge au-dessus de ma tête et j'ai hurlé en direction de Tschick :

– N'oublie pas le sac de couchage !

J'ai pas eu de meilleure idée. Le policier s'est tourné vers moi. Tschick s'était retourné lui aussi.

– Papa te demande de prendre le sac de couchage ! Le sac de couchage !

Et comme le policier regardait à nouveau vers Tschick et Tschick vers moi, j'ai furtivement désigné mon crâne et ma hanche (casquette, pistolet) de la main pour signifier quelle profession exerçait cet individu. Parce que sans la casquette, et juste avec le pantalon vert, c'était pas évident à reconnaître. Je devais avoir l'air assez con, mais je savais pas trop comment représenter un flic autrement. Et en l'occurrence, Tschick a immédiatement pigé ce qui se passait. Il a disparu dans la voiture avant de réapparaître le sac de couchage en main ; puis il a claqué la porte du conducteur derrière lui et a fait mine de la fermer à clé (genre papa m'a donné la clé de la voiture pour que je récupère un truc). Il a commencé à s'avancer, chargé du sac de couchage, vers moi et le flic. Mais il n'a fait qu'une dizaine de pas. J'étais pas sûr à cent pour cent de comprendre pourquoi il s'arrêtait. Un truc dans le regard du flic a dû lui faire clairement comprendre que notre manœuvre de diversion n'allait pas devenir l'événement théâtral du vingt et unième siècle.

D'un coup d'un seul, Tschick a reculé. Il s'est mis à courir vers la voiture, le flic à ses trousses. Mais il était déjà au volant. Il a fait marche arrière à toute vitesse pour sortir de son stationnement, et le flic, toujours à quarante mètres de distance, a accéléré comme un champion du monde. Probablement pas pour rattraper le véhicule, c'était clairement pas possible, mais pour relever la plaque d'immatriculation. Holy shit. Un shérif champion olympique de sprint. Et moi qu'étais paralysé sur la route avec ma courge sur la tête, tandis que la Lada filait à l'horizon et que le flic se retournait vers moi.

Ce que j'ai fait alors – m'en demandez pas la raison. En temps normal, après mûre réflexion, j'aurais certainement pas fait ça. Mais déjà à ce moment-là, y avait plus rien de très normal. Et puis, c'était peut-être pas si gogol, en fin de compte. J'ai foncé vers le vélo. J'ai balancé la courge et j'ai foncé vers le vélo du flic. J'en étais alors beaucoup plus près que lui. En un clin d'œil, j'ai attrapé le vélo par le cadre pour le remettre à l'endroit, puis j'ai sauté en selle. Le flic a gueulé, d'assez loin heureusement. J'ai appuyé à fond sur la pédale. Jusqu'ici, j'avais juste été hyper nerveux ; à partir de là, c'est devenu le pur cauchemar. J'avais beau appuyer de toutes mes forces sur les pédales, j'avançais pas d'un pouce. Je devais être sur la vitesse dix mille, ou un truc dans le genre ; et je trouvais pas le levier. Le braillement du flic se rapprochait de plus en plus. Des larmes mouillaient mes yeux. J'avais l'impression que mes cuisses allaient exploser sous l'effort. Le flic était à deux doigts de m'attraper, quand j'ai enfin commencé à prendre de la vitesse. Je lui ai échappé.

27

J'ai fusé sur le pavé, traversant le village. J'ai mis moins de quatre-vingt-dix secondes pour atteindre la place. Je pouvais tout à loisir mesurer l'étendue du danger : à cet instant, le flic était peut-être depuis longtemps déjà au téléphone, et s'il était pas trop gogol – et il m'avait pas donné l'impression d'être gogol –, il était tout simplement en train d'appeler quelqu'un pour m'y choper.

Je fonçais comme un malade, me faufilant entre les maisons grises, dévalant les rues sinueuses, et j'ai fini par atteindre un petit chemin qui menait directement dans les champs.

À la nuit tombée, j'étais seul dans la forêt, haletant et fébrile, allongé sous un buisson touffu avec le vélo du flic. J'attendais. Et réfléchissais. Et commençais à désespérer. Que faire ? J'étais quelque part dans une forêt, à cent ou deux cents kilomètres au sud ou au sud-est de Berlin, pendant que Tschick se faisait la malle dans une Lada bleu clair avec plaque munichoise, toute la horde des unités locales de police à ses trousses – et j'avais aucune idée de la manière dont on pouvait communiquer. Normalement, en pareil cas, on est censés se retrouver à l'endroit où on s'est perdus de vue. Mais là, c'était difficilement envisageable, y avait la maison du shérif local.

Autre possibilité : aller dans la famille de Friedemann et y laisser un message. Ou espérer que Tschick en laisserait un pour moi. Mais pour diverses raisons, cela me paraissait très peu probable : D'abord le village était tellement minuscule que les gens se connaissaient probablement tous. Et puis Tschick aurait jamais pu y retourner en voiture. Tout au plus aurait-il pu tenter la chose à pied, une fois la nuit tombée, quitte à ce que tous les gens du village soient depuis longtemps au courant de l'incident. Mais cette idée m'apparaissait de plus en plus farfelue à mesure qu'un tout autre plan se dessinait plausiblement dans ma tête.

Quand on peut pas se retrouver là où on s'est perdus de vue, eh bien on retourne au dernier endroit où on était en sécurité. En l'occurrence : le belvédère avec le kiosque et le buisson de sureau.

Là, allongé avec le visage dans la boue, ça me paraissait logique, du moins. C'était la solution la plus simple. Et plus j'y réfléchissais, plus j'étais convaincu que Tschick aurait la même idée. Puisque je l'avais eue. En plus, l'emplacement du belvédère était propice : il était suffisamment loin du village, mais suffisamment proche pour qu'on puisse l'atteindre à vélo. Et Tschick avait dû voir que je m'étais tiré en vélo. Du coup, j'ai passé la moitié de la nuit dans la forêt avant de remonter en selle aux premières lueurs de l'aube. J'ai fait un énorme détour pour éviter le village, traversant la forêt, gravissant les champs. Le chemin n'était pas très dur à trouver, mais c'était beaucoup, beaucoup plus loin que ce que j'avais imaginé. Je voyais la chaîne de collines noyée de brume dans le lointain. Elle ne daignait pas se rapprocher. Et puis j'ai commencé à avoir très soif. Et faim. Sur ma droite dans les champs, quelques maisons se lovaient autour d'une église en briques. J'y suis allé. L'endroit se composait de trois rues et d'un arrêt de bus. Les plaques des rues étaient en langue étrangère ; je me suis demandé l'espace d'un instant si j'avais pas atterri en République tchèque ou quoi. Mais bon, c'était pas trop possible ; j'aurais quand même remarqué la frontière.

Y avait bien un minuscule magasin, mais il était fermé et donnait pas spécialement l'impression de rouvrir bientôt. Les fenêtres étaient presque opaques de crasse. À l'intérieur, la moitié d'un pain et des paquets de chewing-gums défraîchis étaient posés sur une table ; derrière, l'étagère était remplie de paquets de lessive de la RDA.

À l'arrêt de bus, un fou pissait au beau milieu de la rue et faisait faire des tours de manège à son zizi. Il avait l'air de s'en donner à cœur joie. Y avait personne sinon, dans la rue ; les rayons rasants du soleil luisaient sur les pavés comme un vernis rouge. J'ai eu l'idée de sonner à une porte et de demander à quelqu'un de me vendre de l'eau. Mais en sonnant à une maison où y avait de la lumière – le nom était Lentz, je m'en souviens parfaitement –, je me suis senti bête et j'ai juste demandé si je pouvais éventuellement avoir un verre d'eau du robinet. L'homme qu'avait ouvert la porte n'avait qu'un bas de jogging sur lui. Il transpirait. Jeune, mince et musclé, bandage aux poignets.

– Un verre d'eau du robinet ! a-t-il aboyé.

Il m'a dévisagé un court instant avant de m'indiquer un robinet extérieur accolé à la maison. Tandis que je buvais à même le tuyau, il m'a demandé si tout allait bien, et je lui ai expliqué que je faisais un tour à vélo. Il a rigolé en secouant la tête et a redemandé si tout allait bien. J'ai désigné ses bandages en lui demandant si *pour lui* tout allait bien. Et là, il est immédiatement devenu sérieux. Il a hoché la tête, et c'en était fini de la conversation.

Quand je suis arrivé au belvédère, j'étais tout seul sur la montagne. Il était encore tôt le matin. Y avait qu'une voiture noire derrière la scierie. Le kiosque sur le parking vide était verrouillé par un cadenas. Je suis redescendu en courant vers le buisson de sureau. Des ordures à nous y étaient éparpillées. Aucune trace de Tschick. J'étais vachement déçu.

Les heures se sont écoulées. J'étais assis sur le muret à attendre, de plus en plus triste. Des excursionnistes venaient régulièrement à passer, des cars de tourisme aussi, mais point de Lada de toute la journée. Continuer mon chemin me paraissait pas judicieux. Ben non : si Tschick continuait à tourner, il allait bien finir par me récupérer ; mais si on faisait des tours tous les deux, on se retrouverait jamais. Au bout d'un moment, j'ai fini par être sûr qu'ils l'avaient chopé. Et je m'étais fait à l'idée de passer la nuit à venir sous les buissons de sureau, quand mon regard est tombé sur l'une des poubelles. Elle était pleine de papiers provenant des barres en chocolat, de bouteilles de bière vides et de capsules ; et là, je me suis d'un coup souvenu que nous aussi, on avait jeté toutes nos ordures de la nuit dernière dans cette poubelle. On avait rien laissé sous les buissons de sureau. J'y suis retourné en courant comme un fou – et là, y avait cette bouteille de Coca vide. Je l'ai regardée d'un peu plus près : un petit rouleau de papier était fiché au niveau du goulot. Il était écrit : *Je suis à la boulangerie où on a croisé Heckel. Je viens à six heures. T.*

La phrase était cependant barrée, et en dessous, il était écrit : *Le Comte Lada travaille à la scierie. Reste là, je viens te chercher au coucher du soleil.*

Jusqu'au soir, je suis resté assis, heureux, sur le belvédère, et puis malheureux, et puis de plus en plus malheureux. Tschick venait pas. Les touristes ne venaient plus non plus, y avait qu'une voiture noire qui faisait des tours de piste, sur le chemin de derrière. Elle faisait des tours de piste comme ça depuis la tombée de la nuit déjà.

Je sais pas à quel point on peut être bigleux. En tout cas, c'est qu'au moment où la voiture s'est arrêtée devant moi et qu'un homme avec une petite moustache à la Hitler a ouvert la portière que j'ai remarqué que ça, c'était logiquement une Lada. Notre Lada.

J'ai pris Tschick dans mes bras, et puis je l'ai boxé, et puis je l'ai repris dans mes bras. J'arrivais pas du tout à me calmer.

– Wouahou ! j'ai crié. La vache !

– Tu la trouves comment, la couleur ? a demandé Tschick.

On dévalait déjà la colline à toute blinde.

Je lui ai raconté tout ce que j'avais fait depuis qu'on s'était perdus, mais ce que Tschick avait à raconter était carrément plus intéressant. Dans sa fuite, il était repassé par hasard devant la boulangerie où on avait rencontré Heckel ; il avait commencé par garer la Lada non loin de là, parce qu'il trouvait trop dangereux de circuler sur la route. Il s'était assis devant la boulangerie et il n'avait vu que des voitures de flics durant toute la journée.

Finalement, il avait parcouru les quelques kilomètres jusqu'au belvédère. Là, il m'avait d'abord attendu, et comme je venais pas, puisque je dormais dans la forêt, il avait fini par mettre le petit mot avec la phrase sur la boulangerie dans la bouteille de Coca et avait refait tout le chemin en sens inverse pour retourner à la Lada. Ce faisant, il était passé par un magasin de bricolage où il avait piqué du ruban adhésif et un bidon de bombe aérosol. Ensuite, quand y avait plus eu de flics sur les routes, il était retourné en voiture jusqu'au belvédère. C'est là qu'il avait écrit la deuxième phrase sur le petit bout de papier, avant d'asperger la Lada sur le terrain de la scierie. Et il avait pensé à tout : la Lada était maintenant immatriculée à Cottbus.

Quand j'ai raconté à Tschick le coup du type avec le bandage et celui du mec à l'arrêt du bus, il a dit que lui aussi avait remarqué qu'y avait pas mal de dingues par ici. Le seul truc qu'il savait pas non plus, c'est pour les inscriptions en langue étrangère.

– C'est pas du russe, toujours, a-t-il affirmé, tandis qu'on déchiffrait les panneaux bizarres qui couraient dans la lumière des premiers lampadaires.

28

Le jour d'après, on était de nouveau sur l'autoroute. Pas par inadvertance, cette fois. On se sentait suffisamment sûrs de nous, et on voulait aller plus vite. C'était le cas d'ailleurs. Et ce, pendant environ cinquante kilomètres. Après, Tschick a montré le voyant du réservoir d'essence, et il était déjà bien dans le rouge.

– Merde.

On y avait pas pensé avant, qu'il faille faire le plein. D'abord, on s'est dit : pas de lézard. Une station était indiquée dans deux kilomètres ; et on avait assez d'argent. Et puis j'ai réalisé que deux quatrièmes dans une voiture, ça allait probablement pas le faire auprès du personnel de la station-service. Le genre de truc, on peut y penser plus tôt.

– Voilà, cinquante kopecks ! Le reste est pour vous, a lancé Tschick à un pompiste imaginaire.

Mort de rire.

On est quand même sortis à l'aire d'autoroute. Il était à peine midi ; ça grouillait de monde. Tschick a pris par-derrière, au large de la pompe diesel. Il s'est garé entre deux énormes camions à remorques, à l'abri des regards. On s'est regardés, déprimés. Tschick estimait qu'on se procurerait jamais d'essence ici. J'ai alors proposé d'ouvrir la prochaine voiture qui passerait avec la balle de tennis.

– Trop de monde, a dit Tschick.

– Eh ben y a qu'à attendre qu'y ait moins de monde.

– On a qu'à attendre jusqu'à ce soir. L'un de nous va à la pompe du fond, l'autre y amène la Lada – et hop, on fait le plein et on se tire. Comme ça, on épargne même du fric.

Tschick trouvait son plan génial, au minimum « Hannibal traverse les Alpes ». Et j'aurais peut-être été d'accord si j'avais su comment on prend de l'essence. Mais j'avais encore jamais eu de pompe en main, et en l'occurrence, Tschick non plus. Le truc, c'est qu'y a pas qu'un grand levier, au niveau de la poignée ; y en a aussi un petit pour genre bloquer, ou je sais pas trop quoi. J'avais souvent vu mon père faire, mais sans avoir jamais suffisamment prêté attention.

Du coup, on a commencé par acheter deux Magnum. On s'est assis sur les marches en face des pompes pour regarder les gens faire le plein. C'est vrai que ça paraissait pas bien difficile. C'est juste que ça mettait chaque fois des plombes. Et puis y avait plein de gens aux alentours, à commencer par le pompiste qu'avait une vue panoramique depuis sa fenêtre. Certes, on aurait pu ne prendre que quelques litres et se casser super vite, mais du coup on aurait tout de suite dû ressortir à la prochaine station et tout.

– Tu l'as plus, la balle de tennis ? j'ai demandé en désignant l'ensemble du parking, où y avait tant de belles voitures.

– On va pas s'amuser à piquer une caisse à chaque fois que le réservoir est vide.

– Mais tu l'as encore, la balle ?

J'ai regardé Tschick. Il avait les bras croisés autour des genoux et la tête enfouie dans les bras.

– Mais oui !

Puis il a expliqué qu'à la base on voulait ramener la Lada, qu'on pouvait pas piquer deux cents bagnoles de suite, et patati et patata. Elle était convaincante, son explication. Mais notre voyage allait quand même pas se terminer à cause de ça ?

Une Porsche rouge s'est arrêtée aux distributeurs ; une jeune femme aux cheveux blonds et raides en est descendue qui a saisi la pompe de ses ongles roses – et d'un coup, j'ai eu une idée de la manière dont on pouvait se procurer de l'essence. On avait qu'à la récupérer d'une autre voiture ! Tout simplement. Pour ça, on avait juste besoin d'un tuyau. Y avait qu'à le mettre en haut dans le réservoir, aspirer un bon coup, et hop, tout le truc allait sortir. Ça, je le savais d'un livre qu'on m'avait offert pour l'entrée à l'école, un livre qui explique le monde entier aux enfants de six ans. Logiquement, il explique pas comment chourer de l'essence. Mais je me souviens encore du dessin d'une table avec un pot à eau posé dessus. L'eau sortait tout droit d'un tuyau qui passait par-dessus le bord du pot. C'était dû à un genre de phénomène physique.

– Qu'est-ce que tu me chantes là ? Que l'eau coule de bas en haut ?

– Il faut aspirer.

– Et la force d'attraction terrestre, jamais entendu parler ? Ça coule pas vers le haut.

– Mais c'est parce que après, ça va vers le bas. Au total, ça va plus vers le bas que vers le haut, c'est pour ça.

– Mais l'essence, elle sait pas que ça va redescendre, après.

– C'est une loi physique. Ça a un nom, d'ailleurs, avec le mot « phénomène » dedans. Et vases. Le phénomène des vases – truc bidule.

– N'importe quoi. Le phénomène des sauces tomates.

– T'as jamais vu ça dans un film ?

– Oui, en film.

– J'ai lu ça dans un livre, j'ai dit.

J'ai préféré taire que c'était un livre pour les enfants de six ans.

– Ça commence par un C. Capitaux, le principe des vases capitaux, un truc comme ça.

– Des cacas capitaux.

– Non, c'est autre chose… Je sais ! Communaux. Le principe des vases communaux.

Alors, là, Tschick, il a fermé sa gueule. Il y croyait toujours pas, mais que le nom de la loi me soit revenu en tête, ça lui en a bouché un coin. Je lui ai aussi expliqué que la force communale était encore plus forte que l'attraction terrestre et tout et tout, mais c'était surtout pour nous donner du courage et parce que je voulais pas que notre voyage s'arrête là. Le truc, c'est que je l'avais encore jamais vu, le coup du tuyau.

On s'est encore fait un Magnum, et puis encore un, et comme on avait pas de meilleure idée, on a au moins décidé d'essayer.

29

Le problème, bien sûr, c'est qu'on avait pas de tuyau. On a commencé par explorer le terrain derrière la station-service, puis le sous-bois, puis un champ. On s'est éloignés de plus en plus. On a trouvé des enjoliveurs, des bâches en plastique, des bouteilles consignées, une palanquée de canettes de bière, on a même trouvé un bidon de cinq litres sans bouchon, mais on a rien trouvé qui ressemble de près ou de loin à un tuyau. On a cherché pendant près de deux heures, tout en tirant des plans sur la comète pour savoir comment repartir d'ici. Les plans devenaient de plus en plus foireux. On avait le moral à zéro. Aucun putain de tuyau nulle part, aucun tube, aucun câble. Alors qu'on voit toujours des machins de ce genre traîner quand on en a pas besoin.

Tschick est allé dans la boutique de la station-service regarder aux accessoires automobiles, mais ils avaient pas de tuyaux. En revanche, il est ressorti les mains pleines de pailles. On a essayé de les accrocher ensemble, histoire de former une longue tige. Rien qu'à la tronche de notre machin plein de plis, un enfant de trois ans avec dommages cérébraux aurait bité qu'on allait pas prendre de l'essence avec ça.

Et puis Tschick a encore eu une idée. En l'occurrence, qu'on avait croisé une décharge publique sur notre route. Je me souvenais d'aucune décharge, mais Tschick était sûr de lui. Sur le côté droit, quelques kilomètres seulement avant la station-service, y avait selon lui d'énormes tas d'ordures. Et si y avait des tuyaux quelque part, c'était certainement là.

On a emprunté une petite piste battue qui longeait la glissière de sécurité. Puis on a pris par la forêt, à travers champs, par-dessus les clôtures – le tout en restant à portée de vue de l'autoroute. Il recommençait à faire aussi chaud que les jours précédents ; à l'orée du bois, les insectes ondoyaient comme des nappes de brume. On a marché pendant plus d'une heure sans rencontrer d'immondices. Je commençais à en avoir ma claque, j'avais envie de laisser tomber cette histoire de tuyau. Mais Tschick, lui, il était à fond, à présent ; hors de question pour lui de retourner à la voiture sans un bout de tuyau. Tandis qu'on discutaillait, un immense buisson de mûres a surgi en bordure du chemin, long d'une centaine de mètres. La plupart des fruits étaient pas encore mûrs, sauf là où le soleil tapait. Ils étaient trop bons. Je sais pas si je l'ai déjà dit, mais y a rien que j'aime plus au monde que les mûres. Du coup, on a commencé par s'en enfourner genre cent kilos chacun.

Après, on avait le visage tout violet, comme si on s'était maquillés. Moi, j'allais de nouveau très bien ; je voyais plus aucun inconvénient à crapahuter pendant des heures à la recherche d'un tuyau. Le fait est qu'on a eu besoin de presque deux heures avant de tomber sur la décharge. Des tas d'ordures énormes, cernés de part et d'autre par la forêt et l'autoroute. Et on était pas les seuls à crapahuter là-dedans. Quelque part tout derrière, y avait un vieux qui déambulait tête penchée et qui rassemblait des câbles électriques. Y avait aussi une fille de notre âge super dégoûtante. Et puis deux enfants. Mais ils avaient pas l'air d'être ensemble.

J'étais dans un tas d'ordures ménagères, et j'ai trouvé deux albums photo que je voulais montrer à Tschick. Dans l'un, y avait les photos d'une famille, des tas de clichés du père, de la mère, du fils et du chien. Ils étaient tous rayonnants sur les photos, même le chien. J'ai feuilleté l'album, mais j'ai fini par le jeter, parce qu'il me déprimait. Je pensais à ma mère, à son état, à la peine que j'allais probablement lui causer quand elle apprendrait toute cette histoire. Et puis j'ai glissé sur une planche en bois visqueuse et je suis tombé sur un tas de fruits pourris.

Tschick avait gravi un autre tas. Il avait trouvé un gros bidon en plastique brun avec une tubulure de remplissage. Il tambourinait dessus de son poing et le balançait au-dessus de sa tête. Le bidon était génial, bien sûr. Mais pour ce qui était des tuyaux – quéquette.

Je cherchais surtout du côté des machines à laver ; mais sur toutes les machines à laver que j'ai trouvées, le tambour avait été enlevé et le tuyau démonté. Quand le vieux est passé devant moi à pas feutrés, je lui ai demandé si par hasard il savait pourquoi les tuyaux manquaient sur toutes les machines à laver. Mais il a à peine relevé la tête et s'est contenté de montrer ses oreilles, comme s'il était sourd. La fille dégueulasse aussi est passée devant moi sans un regard, aussi vive qu'un petit animal. Elle marchait pieds nus, les jambes noires jusqu'aux genoux. Elle portait un treillis retroussé et un T-shirt cradingue. Elle avait des yeux en amande, des lèvres pulpeuses et un nez plat. Et des cheveux genre la machine s'est cassée pendant la coupe. Dans un premier temps, j'ai préféré ne pas lui adresser la parole. Elle portait une caisse en bois sous le bras ; je savais pas si elle l'avait trouvée ici, ou si elle y conservait quelque chose de précieux… Ni même ce qu'elle foutait là, dans l'absolu.

À la fin, Tschick et moi on s'est retrouvés au sommet du plus haut tas d'ordures. On avait rien trouvé d'autre que le bidon de dix litres. Mais à quoi allait-il bien pouvoir nous servir ? Ces tas d'ordures étaient des tas d'ordures sans tuyaux. On était assis sur une machine à laver énucléée. Le soleil ne dépassait plus que de peu la cime des arbres. Le bruissement de l'autoroute s'était calmé, le vieux et les enfants étaient partis. Seule la fille dégueulasse était assise sur le tas d'en face. Ses jambes pendouillaient depuis la porte d'une armoire murale. Elle a crié quelque chose dans notre direction.

– Quoi ? j'ai répondu.

– Gros cons !

– Ça va pas la tête ?

– Tu m'as très bien entendue, gros con ! Et ton pote aussi, c'est un gros débile !

– C'est qui, cette grognasse? a dit Tschick.

Pendant longtemps, on n'a vu que les jambes de la fille qui pendouillaient. Puis elle s'est assise, et elle a commencé à s'enfiler une paire de bottes tout en nous regardant.

– J'ai trouvé quelque chose ! elle a hurlé.

Visiblement, c'était pas des bottes qu'elle parlait.

– Vous aussi, vous avez quelque chose ?

– Ça te regarde pas pour deux merdes, a hurlé Tschick en retour.

Elle a arrêté de trifouiller après le nœud de ses bottes quelques secondes. Puis elle a alterné les flexes-pointes avec ses pieds avant de crier :

– Même pour la baise vous êtes trop cons !

– Mets-toi un doigt dans le cul et ferme ta gueule !

– Tapette russe !

– J'arrive.

– Le Méchant Monsieur va venir ! Et tu vas faire quoi ? Allez, viens ! Viens, pussy. J'ai déjà peur.

– Non, mais elle a fumé la moquette ou quoi, a dit Tschick.

Le fossé entre les deux tas était tellement abrupt qu'il aurait fallu au moins trois minutes pour aller de l'un à l'autre.

Silence pendant quelques minutes.

– Qu'est-ce que vous cherchiez ?

– Un paquet de merde, a répondu Tschick.

– Des tuyaux ! j'ai crié.

Ces échanges d'insultes commençaient lentement à me soûler.

– On a cherché des tuyaux. Et toi ?

Une corneille a titubé au-dessus des tas d'ordures ; elle a glissé en se posant sur une grosse tôle. La fille a pas répondu. Elle s'est de nouveau adossée à l'étagère.

– Et toi ? j'ai crié.

Longtemps, on n'avait vu d'elle que les mollets tout sales. Puis une main a surgi.

– Les tuyaux sont là-bas.

– Quoi ?

– Là-bas.

– Elle veut faire son intéressante, a dit Tschick.

– J'ai très bien entendu ! a hurlé la fille avec un volume incroyable.

– Et alors ?

– Sale métèque !

– Où ça, là-bas ? j'ai crié.

– Ben, c'est où que je montre ?

On voyait les genoux et la main, et, pour être honnête, la main montrait un peu au hasard, quelque part vers le ciel. Quelques minutes de silence. Puis je suis descendu de notre tas pour remonter sur celui de la fille.

– Où ça, là-bas ? j'ai demandé, haletant devant l'armoire murale.

La fille restait allongée, le regard rivé vers mon cou.

– Viens ici. Allez, viens !

– Où ça, là-bas ? j'ai répété.

Et d'un coup, elle a bondi. J'ai fait un pas en arrière, effrayé, manquant de me rétamer. Juste derrière moi, y avait un pic de quelques mètres.

– Bon, tu sais ou tu sais pas, où ils sont, les tuyaux ?

– Et toi, t'es une tartouze ? Et t'es le copain du métèque, c'est ça ?

Elle a retiré un morceau de fruit de mon T-shirt d'un revers de main. Puis elle a pris sa petite caisse en bois, l'a calée sous son bras et a pris les devants. Escalade du tas suivant et du tas encore après, puis arrêt. Et là, elle a montré vers le bas :

– C'est là !

Au pied de la montagne d'ordures, y avait un monticule de ferraille, et derrière, un énorme tas de tuyaux. Des tuyaux longs, des tuyaux courts, toutes sortes de tuyaux. Tschick, qui nous avait suivis par des chemins détournés, a immédiatement saisi un gros tuyau de machine à laver.

– Avec courbure incorporée ! s'est-il écrié, rayonnant, sans un regard pour la fille.

– Avec courbure, c'est nase, j'ai dit en dévissant le tuyau d'un pommeau de douche.

– Vous en avez besoin pour quoi faire ? a demandé la fille.

– Avec courbure, c'est toujours bien, m'a rétorqué Tschick en tenant le bout incurvé dans le bidon.

– Hé ho, je te pose une question, a dit la fille.

– Quoi ?

– Vous en avez besoin pour quoi ?

– Pour mon père. C'est son anniversaire.

Bizarrement, elle l'a pas traité de tous les noms, et s'est contentée de prendre un air énervé.

– Je vous ai montré votre came, maintenant vous pouvez bien me dire pour quoi vous en avez besoin.

Tschick était assis à genoux sur le tas. Il examinait un tuyau de machine à laver après l'autre, l'introduisant chaque fois dans le bidon.

– Pour quoi faire !

– On a chouré une caisse, a dit Tschick. Maintenant on doit encore chourer de l'essence.

Il a soufflé dans un énorme tuyau en regardant la fille.

Elle l'a encore bombardé d'une centaine d'épithètes injurieuses.

– Évidemment, handicapés moteurs de première classe. Je vous ai montré la came, mais bon, comme d'hab. Faites ce que vous voulez.

Elle s'est essuyé le visage du revers de la manche et s'est assise sur une roue de tracteur avec sa caisse en bois. J'ai levé mon tuyau de douche pour donner à Tschick un signal de départ. On s'est remis en route avec notre bidon et trois tuyaux. La fille nous a interpellés dans le dos :

– Qu'est-ce que vous voulez vraiment faire avec ça ?

– Tu nous gonfles.

– Vous avez à manger ?

– On en a l'air ?

– Vous avez l'air d'handicapés moteurs.

– Tu te répètes.

– Vous avez de la thune ?

– Pour toi peut-être ?

– Sans moi vous les auriez pas trouvés.

– Branle-toi.

Tschick et la fille ont continué de se fritter alors qu'on était déjà presque plus à portée de voix. Il arrêtait pas de se retourner pour l'injurier, et elle hurlait en retour. J'ai préféré ne pas m'en mêler.

Mais tout à coup, elle s'est mise à nous courir après. Et d'une certaine manière, j'ai immédiatement eu un sentiment bizarre quand j'ai vu la manière dont elle courait. Normalement, les filles savent pas courir, ou alors genre en se trémoussant. Mais elle, elle savait courir. Et elle courait avec sa caisse en bois sous le bras, comme si c'était une question de vie ou de mort. J'avais pas à proprement parler peur d'elle, mais je la trouvais quand même un peu inquiétante.

– J'ai faim.

Elle respirait devant nous avec vigueur et nous matait comme si elle regardait la télé.

– Y a des mûres, là-bas derrière, j'ai dit.

De son doigt, elle a fait un rond autour de la bouche.

– Et moi qui pensais que vous étiez des pédales. À cause du rouge à lèvres, là.

Tschick et moi on a juste continué de marcher, et Tschick a murmuré dans mon oreille qu'elle avait fumé la moquette.

Mais on n'était pas allés très loin qu'on l'a encore une fois entendue gueuler :

– Hé !

– Quoi, hé ?

– Elles sont où ? Les mûres, abrutis ! Elles sont où, ces mûres ?

30

Le retour m'a paru nettement plus court que l'aller. Peut-être parce que la fille a pas arrêté de parler. Au départ, elle marchait derrière nous. Puis entre nous. Puis de l'autre côté du chemin. À un moment, Tschick m'a regardé et s'est bouché le nez. Il avait raison : elle puait, c'était abominable. On s'en était pas rendu compte sur la décharge, mais là, ce qui émanait d'elle, c'était une puanteur effroyable. Un dessinateur de BD aurait fait bourdonner des mouches autour de sa tête. Et elle arrêtait pas de tchatcher, avec ça. Je me souviens plus exactement de tout ce qu'elle disait ; elle arrêtait pas de poser des questions du style : où on habitait, si on allait à l'école, si on était bons en maths (c'était important pour elle, de savoir si on était bons en maths ou pas). Si on avait des frères et sœurs, si on connaissait le coup de l'infini de Cantor, et tout et tout. Mais quand on lui demandait pourquoi elle voulait savoir tout ça, pas de réponse. Même pour savoir ce qu'elle-même avait cherché dans la décharge – pas de réponse.

À la place, elle racontait qu'elle voulait travailler à la télé plus tard. Son rêve, c'était de présenter un jeu télévisé, « parce qu'on est beau et qu'on fait des trucs avec les mots ». Elle disait qu'elle avait une cousine qui faisait ça, que c'était un « super job », qu'elle était « totalement surqualifiée » et qu'elle ne travaillait que la nuit.

Après avoir discuté télé, elle a reparlé du vol de voiture. Elle a dit que Tschick était quand même un mec marrant, quelque part, et qu'elle avait bien rigolé intérieurement à la blague de la bagnole. Alors Tschick s'est gratté la tête, et puis il a dit que ouais, qu'elle avait bien remarqué qu'il était quand même un mec plutôt marrant des fois, et que c'est pour ça qu'il allait vraiment offrir un tuyau à son père pour son anniversaire.

– Et toi, t'es plutôt le genre silencieux, a dit la fille en me donnant une petite tape sur l'épaule et en redemandant si j'allais vraiment à l'école.

Moi, je me disais : « Pourvu que les mûres arrivent bientôt, sinon on s'en débarrassera jamais. »

Je me disais aussi qu'elle allait bien finir par partir de son propre chef, mais en fait, elle a vraiment continué à nous suivre pendant trois ou quatre kilomètres jusqu'à la haie de mûres. Entre-temps, j'avais de nouveau faim, Tschick aussi, et on s'est tous les trois jetés sur les fruits.

– Il faut s'en débarrasser d'une manière ou d'une autre, a chuchoté Tschick.

Je l'ai regardé comme s'il avait dit qu'il fallait pas se scier les pieds. Et puis la fille s'est mise à chanter. Tout doucement d'abord, en anglais, marquant régulièrement de petites pauses pour mâcher.

– Et elle chante comme un pied, en plus, a dit Tschick.

J'ai rien répondu. Le fait est qu'elle chantait pas comme un pied. Elle fredonnait « Survivor » de Beyoncé. Sa prononciation était grotesque, elle parlait pas du tout anglais, visiblement ; elle faisait que reproduire les mots. Mais elle chantait vachement bien. Du pouce et de l'index, j'ai doucement écarté une branche de mon visage, et j'ai regardé la fille qui, entre les feuilles, debout dans les buissons, chantait et fredonnait tout en mâchant des mûres. Ajoutez à ça le goût des fruits dans ma propre bouche, le crépuscule orangé au-dessus de la cime des arbres et en arrière-plan le vrombissement continu de l'autoroute : je commençais à me sentir tout bizarre.

– Et maintenant, on continue tout seuls, a dit Tschick quand on est retournés sur le sentier.

– Pourquoi ?

– On doit rentrer.

– Alors, je viens avec vous. C'est aussi mon chemin.

– C'est pas du tout ton chemin !

Il lui a répété environ cinq cents fois qu'on voulait pas qu'elle soit avec nous, mais elle faisait que hausser les épaules et nous emboîter le pas. Tschick a fini par se camper devant elle.

– T'en as conscience, en fait, que tu schlingues ? Tu pues comme un tas de merde. Tire-toi maintenant !

Tandis qu'on poursuivait notre route, j'ai eu plusieurs fois l'impression qu'elle nous suivait toujours. Mais elle a paru ralentir, et bientôt on l'a plus vue. L'obscurité s'était glissée à travers les arbres. Il y a eu un bruissement dans les broussailles, mais c'était peut-être qu'un animal.

– Si elle nous suit, elle est méga chiante, a dit Tschick.

Pour être vraiment sûrs, on s'est mis à marcher un peu plus vite, puis, après une forte inflexion du chemin, on s'est accroupis dans un buisson et on a attendu. On a attendu au moins cinq minutes, et comme la fille nous suivait pas, on est retournés à la station-service.

– Le coup qu'elle pue, t'aurais pas dû le dire.

– Fallait bien que je dise quelque chose. Mon vieux, qu'est-ce qu'elle pouvait schlinguer ! J'te garantis qu'elle habite dans la décharge. Un vrai cas.

– Mais elle chantait bien, j'ai dit après un silence. Et c'est clair qu'elle habite pas dans la décharge.

– Pourquoi elle nous demande si on a à manger, alors ?

– D'accord, mais on est pas en Roumanie, ici. Ici, personne n'habite dans une décharge.

– T'as pas remarqué comme elle schlinguait ?

– Probablement qu'on sent pareil maintenant.

– Elle habite là, j'te dis. Elle s'est barrée de chez elle. Crois-moi, je connais ce genre de gens. Elle est chelou. Elle a une belle tronche, mais c'est un cas social grave.

À gauche de l'autoroute, on apercevait déjà les pre-mières étoiles. On avait du mal à distinguer le chemin, et j'ai proposé de longer directement la chaussée pour éviter de se perdre. L'argument était certes débile ; même dans la forêt on pouvait entendre le bruit de l'autoroute. Mais pour être honnête, je commençais à avoir peur dans le noir. Je savais pas trop pourquoi. Ça pouvait difficilement être la peur de criminels en train de rôder. Les seuls criminels en train de se balader dans la forêt, c'était nous, garanti sur facture. Mais c'était peut-être ça qui m'inquiétait. Que d'un coup j'en prenne conscience. J'étais soulagé de revoir les néons de la station-service briller devant nous à travers le feuillage.

31

On a d'abord acheté de la glace et du Coca. On a caché le bidon et les tuyaux derrière la glissière de sécurité, et on a traversé le parking en mangeant notre glace. En chemin, on a essayé d'ouvrir le réservoir de toutes les voitures qui étaient garées. Aucun ne s'ouvrait. Je commençais à désespérer quand Tschick a trouvé une vieille Golf dont le bouchon de réservoir était cassé.

On a attendu qu'il fasse nuit noire et qu'il n'y ait plus personne pour se mettre au travail.

Le tuyau de machine à laver était tellement rigide qu'on l'a tout de suite jeté. En revanche, le tuyau de douche se pliait facilement dans le réservoir. Le seul truc, c'est que l'essence venait pas. Le réservoir avait beau être plein, le tuyau n'était humide que sur les quinze centimètres du bas.

J'ai aspiré dix fois, rien n'est venu. Tschick aussi a essayé dix fois ; et puis il m'a regardé et il a dit :

– C'était quoi, ton livre ? Tu l'avais d'où ?

J'avais aucune envie d'expliquer ce que c'était comme livre. J'ai continué d'aspirer, et j'ai réussi à faire monter l'essence dans le tuyau. Une fois, j'en ai même eu au bord des lèvres. Mais au finish, pas plus de trois gouttes ont coulé. On s'est agenouillés entre les voitures et on s'est regardés.

– Je sais ce qu'on va faire, a dit Tschick après un moment. Tu vas prendre le tuyau dans ta bouche et recracher dans notre réservoir. Sûr que ça va marcher.

– Et pourquoi moi ?

– C'était mon idée, peut-être ?

– J'ai une meilleure idée : t'as toujours la balle de tennis ?

– Oh putain, a fait Tschick. Oh putain. C'est pas possible, j'te dis.

– Il fait nuit noire. Personne peut nous voir.

– C'est pas possible, a dit Tschick en me regardant comme si tout lui faisait mal. Me dis quand même pas que t'y as cru, si ? Tu peux ouvrir aucune voiture, avec une balle de tennis. Sinon, tout le monde le ferait. La Lada était déjà ouverte, t'as pas remarqué ? La serrure était foutue, ou le proprio a jamais fermé, j'en sais rien. Je crois qu'il a jamais fermé. Y a personne pour piquer un tas de ferraille pareil. Mon frère l'a trouvée un jour et – mais me regarde pas comme ça ! Mon frère aussi il s'est foutu de ma gueule avec la balle de tennis… Ouh là. Te retourne pas.

– Quoi ?

– Baisse la tête. Y a quelqu'un, près des conteneurs.

Je me suis adossé contre la Golf et j'ai jeté un regard par-dessus mon épaule.

– Parti maintenant. Y avait une ombre derrière la glissière, là où y a le conteneur à verres.

– Du coup on se tire.

– Il est là de nouveau. Je m'en roule une.

– Quoi ?

– Camouflage.

– Camouflage, mes couilles. On se tire !

Tschick s'est relevé. Du plat du pied, il a repoussé le tuyau et le bidon sous la Golf. Ça a fait un boucan du diable. Je me suis aussi relevé tout doucement. Un truc a bougé derrière les conteneurs. Je l'ai vu du coin de l'œil.

– Ça peut aussi être des branches, a murmuré Tschick.

Il s'est allumé une clope, juste au-dessus du réservoir d'essence.

– Jette l'allumette dedans, tant que t'y es.

Il a tiré quelques bouffées et fait des exercices d'étirement. C'était sans conteste la tentative de camouflage la plus débile que j'aie jamais vue.

Et puis on est retournés vers la Lada, en marchant exprès tout lentement. En partant, j'ai refermé le clapet du réservoir d'un imperceptible coup de hanche.

– Gros nases ! a crié quelqu'un derrière nous.

On a regardé dans l'obscurité d'où la voix venait.

– Vous trifouillez depuis une demi-heure et vous y arrivez même pas, espèces de nases ! Professionnels de mes deux !

– Tu veux bien crier encore un chouïa plus fort ? a dit Tschick en s'arrêtant.

– Et ça clope en plus !

– C'est possible, plus fort ? Tu veux bien crier à travers tout le parking s'il te plaît ?

– Même pour la baise vous êtes trop cons !

– Correct, on est trop cons. Et toi, tu peux refoutre le camp maintenant ?

– Aspiration, jamais entendu parler ?

– Et on fait quoi, depuis tout à l'heure ? Allez, dégage !

– Pschhht ! j'ai fait.

Tschick et moi, on était blottis entre les voitures, mais la fille, bien sûr, elle s'en foutait royalement. De là où elle était, elle voyait tout le parking.

– Y a personne, trouillards à la noix ! Il est où, votre tuyau ?

Elle a tiré nos outils de dessous la Golf. Puis elle a fichu l'un des bouts du tuyau dans le réservoir et l'autre dans sa bouche avec un doigt. Elle a aspiré dix, quinze fois, comme si elle buvait de l'air. Et puis elle a ressorti le tuyau et son doigt de la bouche.

– Voilà. Et maintenant, il est où, ce bidon ?

J'ai posé le bidon devant elle, elle a tenu le tuyau dans l'ouverture, et l'essence a coulé du réservoir. Tout seul. Et en plus, ça s'arrêtait plus de couler.

– Et pourquoi ça marchait pas chez nous ?

– Ça, là, ça doit être sous le niveau de l'eau, a dit la fille.

– Ah, bon. Sous le niveau de l'eau, j'ai dit.

– Ah, bon, a dit Tschick.

On a regardé le bidon se remplir lentement. La fille était accroupie par terre. Quand plus rien n'est venu, elle a revissé le bouchon et Tschick a murmuré :

– Le niveau de quelle eau ?

– T'as qu'à lui demander à elle, gros con, j'ai répondu.

32

Et c'est ainsi qu'on a connu Isa.

Assise sur la banquette arrière, elle observait Tschick avec attention, les coudes posés sur le dossier des sièges avant. Elle l'a regardé mettre la Lada en route et accélérer. Bien sûr que ça nous soûlait grave. Mais après cette histoire d'essence, c'était dur de pas l'emmener au moins un petit bout de chemin, elle y tenait tellement. Quand elle a appris qu'on venait de Berlin, elle a déclaré que c'était précisément sa route. Quand on lui a ensuite expliqué qu'en fait, on allait pas vraiment à Berlin, elle a dit que c'était exactement ça. Et puis elle a essayé de savoir où on allait en réalité ; mais comme elle, elle était pas en mesure de nous dire où elle voulait aller, on s'est contentés de lui répondre qu'on allait dans les environs du sud, et c'est alors qu'elle s'est souvenue qu'elle avait une demi-sœur à Prague à qui elle devait d'urgence rendre visite. C'était sur le chemin, pour ainsi dire. Encore une fois, c'était dur de le lui refuser, car sans elle, on aurait même pas eu d'essence.

On roulait sur l'autoroute toutes fenêtres ouvertes. Ça puait quand même – mais moins. Tschick, entre-temps, maîtrisait à fond l'autoroute ; il conduisait comme Hitler à ses grands jours. Isa arrêtait pas de jacasser. Elle était tellement surexcitée, d'un coup d'un seul, qu'elle secouait les dossiers de nos sièges en parlant. Non pas que je trouvais ça normal, mais disons qu'en comparaison des insultes d'avant, c'était quand même un progrès. Et puis son blabla était pas toujours inintéressant. Je veux dire : à sa manière, elle était pas bête. Tschick lui-même, au bout d'un moment, se mordait les lèvres et hochait la tête en l'écoutant ; oui, lui aussi avait remarqué que la droite et la gauche étaient inversées dans un miroir, et pas le haut et le bas.

Ceci dit, c'était pas encore tout à fait réglé, entre les deux. À un moment donné, Isa a passé sa tête entre les sièges avant, et Tschick a dit en désignant ses cheveux :

– Y a des bêtes, là-dedans.

Isa a tout de suite retiré sa tête.

– Je sais.

Et un ou deux kilomètres plus loin, elle a demandé :

– Vous auriez pas des ciseaux, des fois ? Faut que je me coupe les cheveux.

À l'aide des panneaux, on a essayé de reconstituer où on était, au juste. Mais aucun d'entre nous ne connaissait le nom des villes. J'avais la vague intuition qu'on avait pas avancé d'un pouce, avec nos départementales et nos chemins de campagne. Mais en l'occurrence, on s'en foutait plutôt pas mal. Enfin, moi du moins. Et comme ça faisait un moment que l'autoroute n'allait plus vers le sud, on a fini par sortir et par prendre des départementales en suivant le soleil.

Isa a voulu écouter notre unique cassette. Après une chanson, elle a voulu balancer ladite cassette par la fenêtre. Et puis une immense chaîne de montagnes a surgi droit devant nous, à l'horizon. Vachement haute, et dentelée au sommet. On avait aucune idée de ce que c'était, ces montagnes. Y avait aucun panneau accroché dessus, faut dire. C'était pas les Alpes, déjà. Remarque, on savait même pas si on était encore en Allemagne, dans l'absolu. Tschick jurait ses grands dieux qu'y avait pas de montagnes en Allemagne de l'Est. Isa, elle, disait qu'y en avait bien quelques-unes, mais d'au plus un kilomètre de hauteur. Et moi, ça m'a fait penser que le dernier truc qu'on avait traité en géo, c'était l'Afrique. Avant, c'était l'Amérique. Et encore avant, l'Europe du Sud-Est – on a jamais été plus près de l'Allemagne. Et voilà que surgissait une montagne qui avait rien à foutre là. Car on était quand même d'accord là-dessus : elle avait rien à foutre là. Après une demi-heure de route environ, on a commencé à monter les routes en lacets.

La Lada ne parvenait qu'à grand peine à grimper, même en première. On avait opté pour la plus petite route ; de part et d'autre s'étendaient des champs, étalés comme des serviettes sur des terrains en pente. Puis une forêt est apparue ; et après la forêt, on s'est retrouvés au-dessus d'une gorge surplombant un lac. L'eau était claire comme de l'eau de roche. Tout minus, le lac. À moitié bordé de rochers gris clair, et accolé à une construction en fer et en béton – le reste d'un barrage, ou un truc dans le genre. À part nous, personne. On a garé la Lada, près du lac. Depuis le barrage en béton, on pouvait voir la vallée et le sommet des montagnes. Y avait un village quelques mètres plus bas. L'endroit idéal pour passer la nuit.

Le lac nous paraissait trop froid pour s'y baigner. J'ai marché jusqu'à la rive, Isa à mes côtés. Je respirais profondément, quand Tschick est retourné à la voiture pour en revenir aussitôt, cachant un truc derrière son dos. Visiblement, on avait eu la même idée. Au signal de Tschick, on a attrapé Isa et on l'a foutue à l'eau.

Une première fontaine a jailli à la verticale quand elle a coulé, une deuxième quand elle est remontée à la surface et qu'elle a commencé à battre des bras. C'est alors que j'ai réalisé qu'on savait pas si elle savait nager. Elle hurlait et pataugeait que c'en était pitoyable. Mais finalement, c'était trop pitoyable ; elle pagayait trop comme un petit chien sans s'enfoncer d'un seul millimètre. Elle savait très bien nager. Elle a secoué ses cheveux mouillés avant de faire quelques mouvements de brasse et de nous insulter. Tschick lui a lancé un flacon d'Ushuaïa, et au moment où j'étais en train de me demander si je trouvais ça drôle ou si j'étais désolé pour elle, j'ai senti qu'on me poussait dans le dos et que je tombais dans le lac. L'eau était encore plus froide que gelée. J'ai hurlé en refaisant surface. Tschick se marrait depuis la rive, Isa était partagée entre le rire et les insultes.

Le barrage en béton était trop haut pour s'y agripper et ressortir de l'eau ; on a dû traverser le lac à la nage pour atteindre la seule rive où le talus était plat. Isa me balançait des insultes et des coups de pied sous l'eau, disant que j'étais encore cent mille fois plus con que mon homo de pote. On a commencé à se bagarrer. Pendant ce temps, Tschick est retourné à la bagnole d'un pas nonchalant. Il a mis son maillot de bain en sifflotant, puis il est revenu, une cigarette au coin de la bouche et une serviette sur l'épaule.

– C'est ainsi que le gentleman prend son bain, a-t-il dit d'un air distingué.

Et il a plongé dans le lac. On l'a insulté de concert.

Quand on a rejoint la rive, Isa a immédiatement enlevé son T-shirt et son pantalon, puis tout le reste. Et elle a commencé à se savonner. C'était à peu près la dernière chose à laquelle je m'attendais.

– Ah, trop bon, a-t-elle dit.

Elle était debout, l'eau jusqu'aux genoux ; elle regardait le paysage alentour tout en s'enduisant les cheveux de mousse. Je savais pas où me mettre, un coup je regardais par ici, un coup par là-bas. Elle était vraiment bien foutue. Et elle avait la chair de poule. Moi aussi j'avais la chair de poule. Tschick a regagné la rive le dernier, en crawl.

Bizarrement, on s'est plus disputés. Personne n'a rien dit, personne n'a gueulé, personne n'a fait de blague. On s'est juste lavés, haletant de froid, et on a tous utilisé la même serviette.

On s'est descendu un bidon de bonbons Haribo qui restait des courses de Lidl – avec vue sur montagnes et vallons. Isa avait mis un T-shirt à moi et le pantalon Adidas fluo. Ses affaires puantes étaient posées derrière sur la rive, et elles y sont restées à jamais.

Ce soir-là, on a plusieurs fois essayé de savoir d'où elle venait et où elle allait vraiment ; mais tout ce qu'elle a raconté, c'était des histoires à coucher dehors. Elle aurait préféré crever plutôt que de nous dire ce qu'elle fabriquait dans la décharge ou ce qu'il y avait dans la caisse en bois qu'elle trimbalait avec elle. La seule chose qu'elle nous a dévoilée, c'est qu'elle s'appelait Schmidt. Isa Schmidt. C'est du moins la seule chose qu'on a crue.

33

Tôt le lendemain matin, Tschick est parti acheter à manger au village. J'étais encore allongé sur le matelas pneumatique, à moitié endormi, le regard perdu dans l'obscurité. Isa, debout dans le hayon ouvert de la Lada, a redemandé si on avait pas des ciseaux, et si je pouvais lui couper les cheveux.

J'ai effectivement trouvé de tout petits ciseaux dans la trousse à pharmacie, mais je n'avais encore jamais coupé les cheveux à qui que ce soit. Isa s'en foutait pas mal, elle voulait que je lui fasse la boule à zéro en laissant une petite frange devant. Elle s'est assise sur le rebord du barrage et a retiré son T-shirt.

– Vas-y.

Puis après un temps :

– Ben alors, tu commences ? Je veux juste pas que le T-shirt soit plein de cheveux.

J'ai donc commencé. Au début, j'essayais de pas constamment mettre ma main sur la tête d'Isa, mais avec

221

des ciseaux minuscules, c'est dur de flanquer une tronche de skinhead à quelqu'un sans prendre appui quelque part. Et c'est encore plus dur de pas mater non-stop un sein nu qui vous pendouille au nez.

– Hé ! Regarde-le, celui-là ! Il se branle, a dit Isa.

J'ai jeté un coup d'œil vers la lisière de la forêt. Un vieil homme, debout devant les arbres, – même pas derrière, donc, mais carrément devant –, avait le pantalon baissé jusqu'aux genoux et s'accordait une petite branlette tranquillou.

– La vache, j'ai fait, laissant tomber les ciseaux.

Isa s'est levée et a rapidement assemblé quelques pierres. À la vitesse de l'éclair, elle a remonté le talus en direction du vieux, et elle a lancé ses pierres en pleine course. Elle les balançait à cinquante mètres de distance, en plein dans le mille. Ça m'a pas du tout étonné. Ben non : qui sait courir sait lancer des pierres, logique. Le type a d'abord continué de pomper, avant de remonter son froc à la hâte et de s'enfuir dans la forêt en trébuchant. Isa l'a poursuivi avec des cris et des moulinets de bras sauvages, mais on voyait bien qu'elle ne lançait plus de pierres. Arrivée à la lisière de la forêt, elle s'est retournée et elle est revenue, à bout de souffle. Elle s'est rassise au même endroit. Visiblement, je suis resté scotché un bon moment, car elle a fini par me tapoter la cuisse.

– Hé ho, continue !

Manquait plus que la frange. Je me suis agenouillé devant elle pour réussir une ligne droite, m'efforçant de surtout pas avoir l'air de regarder ailleurs que vers la frange. Les ciseaux à l'horizontale, j'ai osé une première coupe en faisant très attention. Puis j'ai incliné mon buste en arrière comme un véritable artiste avant d'entamer une deuxième coupe. La pointe des cheveux s'écoulait devant les yeux effilés d'Isa.

– C'est pas grave si c'est pas super droit, a-t-elle dit. Le reste est de toute façon raté.

– Pas du tout. C'est super !

Puis d'une voix sourde :

– Toi, t'es super.

Quand j'ai fini, Isa s'est essuyée du revers de la main pour faire tomber les cheveux. Après, on est restés assis l'un à côté de l'autre sur le muret, le regard perdu dans le paysage, à attendre le retour de Tschick. Isa n'avait toujours pas remis son T-shirt. Les montagnes s'étendaient devant nous. La brume bleue du matin enveloppait les vallées de devant ; une brume jaune flottait dans les vallées de derrière. Je me suis demandé pourquoi c'était si beau, dans le fond. Je voulais expliquer à quel point c'était beau. Ou en tout cas à quel point moi, je trouvais ça beau. Et aussi pourquoi je trouvais ça beau. Ou du moins expliquer que j'arrivais pas à dire pourquoi je trouvais ça beau. Et puis finalement, j'ai rien dit du tout.

– T'as déjà baisé ? a demandé Isa.

– Quoi ?

– T'as très bien entendu.

Elle avait posé sa main sur mon genou. Mon visage était brûlant, comme si on avait versé de l'eau bouillante dessus.

– Non, j'ai répondu.

– Et alors ?

– Alors quoi ?

– T'as envie ?

– De quoi ?

– T'as très bien compris.

– Non, j'ai dit.

Ma voix était tout aigrelette. Au bout d'un moment, Isa a retiré sa main. On s'est tus pendant au moins dix minutes. Toujours aucune trace de Tschick. D'un coup, la montagne et tout le bazar, ça m'a paru assez insignifiant. Elle avait dit quoi, là, Isa ? Et j'avais répondu quoi ? C'était juste trois mots environ, mais – ça voulait dire quoi ? Mon cerveau a fait de spectaculaires circonvolutions ; j'aurais besoin disons de cinq cents pages pour décrire tout ce qui m'est passé par la tête pendant les cinq minutes qui ont suivi. Probable que c'était pas super captivant, d'ailleurs ; c'est juste captivant quand on est soi-même à fond dans la situation. En fait, je me suis principalement demandé si Isa était sérieuse en disant ça, et si j'étais sérieux quand j'avais dit que je voulais pas coucher avec elle, au cas où c'était bien ça que j'avais dit. Mais le fait est que je voulais pas coucher avec elle. Je la trouvais certes sympa, de plus en plus sympa même ; mais ça me suffisait amplement d'être assis avec elle dans la brume du matin et d'avoir sa main posée sur mon genou. C'était d'ailleurs vachement déprimant qu'elle l'ait enlevée. J'ai mis des plombes à former une phrase que je pourrais dire. Je l'ai reformulée environ dix fois dans ma tête avant de sortir d'une voix qui sonnait comme si j'allais faire une crise cardiaque dans la minute :

– Mais je trouvais ça agréable avec ta… aremgh. Main sur mon genou.

– Ah bon ?

– Oui.

– Et pourquoi ?

Et pourquoi. My God. Deuxième infarctus.

Isa a posé sa main sur mon épaule.

– Tu trembles, elle a dit.

– Je sais.

– Tu sais pas grand-chose.

– Je sais.

– On pourrait commencer par s'embrasser. Si ça te dit.

Et là, Tschick a débarqué, surgissant des rochers avec deux sacs en plastique remplis de sandwichs. C'était râpé pour les bisous.

34

Au programme à la place : escalade en montagne.
Jusque-là, on avait encore jamais rien planifié. Mais cette
fois, on a passé notre petit déjeuner à reluquer cette montagne qui semblait la plus haute du monde, et c'était évident qu'il fallait qu'on grimpe dessus. Restait à savoir
comment. Isa trouvait que le mieux, c'était à pied. J'étais
d'accord avec elle, mais Tschick a dit qu'à pied, c'était
débile.

– Si tu veux voler, tu prends l'avion ; si tu veux laver,
tu prends une machine à laver ; et si tu veux monter sur
la montagne, tu prends la voiture. On est quand même pas
au Bangladesh, ici.

On a donc zigzagué en Lada à travers la forêt, longeant
le pied de la montagne. C'était dur de trouver la bonne
bifurcation pour entamer la montée. Derrière la montagne,
on a fini par trouver une route qui grimpait en lacets
sinueux à travers des blocs de pierre. On l'a empruntée

jusqu'à un petit col duquel la route allait redescendant. On ne pouvait donc atteindre le sommet qu'à pied.

Soit on avait chopé le flanc de montagne sans touristes, soit on était vraiment les seuls ce matin-là – en tout cas, on n'a rencontré pendant tout le parcours que des moutons et des vaches. Il nous a fallu deux bonnes heures pour parvenir en haut, mais ça valait le coup, c'était comme sur les super belles cartes postales. Sur la plus haute cime s'élevait une énorme croix en bois ; un peu plus bas, y avait une petite cabane entièrement recouverte de gravures. On s'y est assis pour déchiffrer les chiffres et les lettres. *CKH 23.4.61. Sonny 86. Hartmann 1923.*

Le plus vieux qu'on ait trouvé, c'était *Anselm Wail 1903*. De vieilles lettres gravées dans du vieux bois sombre. Le tout avec vue sur les montagnes, l'air chaud de l'été, et l'odeur du foin qui flottait depuis la vallée.

Tschick a sorti son couteau de poche et a commencé de graver dans le bois. Pendant que Tschick faisait ses sculptures et qu'Isa et moi, on discutait en lézardant au soleil, j'ai pas arrêté de penser au fait qu'on serait tous morts dans cent ans. Tout comme Anselm Wail était mort. Sa famille aussi était morte, ses parents, ses enfants, tous ceux qui l'avaient connu – tous étaient morts. Et s'il avait fait quelque chose dans sa vie, ou construit quelque chose, ou laissé quelque chose derrière lui, ce quelque chose aussi était probablement mort, détruit, dévasté par deux guerres mondiales ; et la seule chose qui restât d'Anselm Wail, c'était son nom, gravé dans un morceau de bois. Pourquoi l'avait-il inscrit là ? Peut-être était-il lui aussi en train de faire un grand voyage. Peut-être avait-il volé une voiture, ou une calèche, ou un cheval, enfin, ce qu'ils avaient à l'époque ; et il avait caracolé un peu partout et s'était fait plaisir. Mais peu importe la manière : ça n'intéressait de toute façon plus personne, parce que rien n'était resté de son plaisir et de sa vie et de tout ça ; et seul celui qui grimpait jusqu'ici pouvait apprendre l'existence d'Anselm Wail. Et je me disais que logiquement, ça allait être pareil pour nous. Du coup, j'espérais que Tschick avait gravé nos noms dans le bois. En fait, il lui avait fallu presque une heure pour inscrire ne serait-ce que six lettres et deux chiffres. Il avait vraiment fait ça comme il faut. Il était écrit :

IS AT MK 10

– Du coup tout le monde va penser qu'on était là en 1910, a dit Isa. Ou en 1810.

– Moi je trouve ça joli, j'ai dit.

– Moi aussi je trouve ça joli, a dit Tschick.

– Et s'il arrive un bouffon qui rajoute quelques lettres, ça fera CRISE ATOMIK, a dit Isa. La célèbre crise atomique de l'année 2010.

– Mais tu vas la boucler, oui ! a dit Tschick.

Moi, je trouvais ça assez drôle, en fait. Mais pas longtemps. Le simple fait qu'il y ait nos initiales parmi toutes les autres, parmi celles des morts, ça a quand même fini par me rendre complètement paf.

– Je sais pas comment vous le sentez, j'ai dit, mais tous ces gens, là, le temps, enfin j'veux dire : la mort...

Je me suis gratté derrière l'oreille, je savais pas trop où je voulais en venir.

– Je trouve ça génial qu'on soit là maintenant, et je suis content d'être là avec vous. Et qu'on soit potes. Mais on sait jamais combien de temps ça va durer – je veux dire, je sais pas combien de temps y aura Facebook, parce qu'en fait, enfin bref : j'aimerais bien savoir ce que vous allez devenir dans cinquante ans.

– Ben, t'as qu'à nous rentrer dans Google, a dit Isa.

– Ah ouais ? Parce qu'on peut rentrer Isa Schmidt dans Google ? a dit Tschick. Y en a pas genre deux cent mille ?

– En fait, c'est autre chose que je voulais proposer, j'ai dit. Et si on se donnait juste rendez-vous dans cinquante ans ? Même jour, même heure, même porte. Dans cinquante ans. Le 17 juillet, à cinq heures de l'après-midi, en 2060. Même si on a eu aucune nouvelle les uns des autres pendant trente ans. On dit qu'on revient ici, où qu'on soit à ce moment-là, qu'on soit cadre chez Siemens ou en Australie. On se le jure, et on n'en parle plus jamais. Ou bien vous trouvez ça con ?

Non, ils trouvaient pas ça con du tout. Du coup on s'est retrouvés là, entourés de gravures, et on s'est juré qu'on reviendrait. Je crois qu'on a tous réfléchi si c'était possible d'être encore en vie et de se retrouver à cet endroit dans cinquante ans. Si on risquait pas d'être des petits vieux grabataires – ce que je trouvais inconcevable. On se disait qu'on aurait du mal à atteindre le sommet. Qu'on aurait tous nos bagnoles de crétins, mais que dans le fond on serait restés exactement les mêmes. Et que je me prendrais tout autant la tête avec Anselm Wail qu'aujourd'hui.

– On le fait, a dit Isa.

Tschick voulait même qu'on écorche nos doigts et qu'on mette une goutte de sang sur nos initiales, mais Isa a dit qu'on était quand même pas Winnetou et l'autre Indien, là, et du coup on l'a pas fait.

En redescendant, on a vu deux soldats en contrebas. Sur le col où était garée la Lada, y avait maintenant quelques cars de tourisme. Isa a foncé vers l'un d'entre eux, sur lequel y avait des trucs écrits dans une langue incompréhensible. Elle a baratiné le conducteur. Tschick et moi, on matait la scène depuis la Lada. Et puis soudain, Isa a fait un sprint vers nous en criant :

– Vous auriez pas trente euros ? Je peux pas vous les rendre maintenant, mais plus tard, c'est promis ! Ma demi-sœur a de l'argent, elle m'en doit – et il faut que j'y aille, maintenant.

J'étais sidéré. Isa est montée dans la Lada pour y récupérer sa caisse en bois, puis elle nous a regardés de travers.

– Avec vous j'y arriverai jamais. Désolée.

Elle a pris Tschick dans ses bras, puis elle m'a dévisagé un long moment avant de me prendre aussi dans ses bras et de m'embrasser sur la bouche. Elle s'est tournée vers le car. Comme le conducteur lui faisait signe de se magner, j'ai rapidement tiré trente euros de ma poche et les lui ai tendus sans un mot. Isa m'a de nouveau embrassé, puis elle est partie en courant.

– Je vous appelle ! Tu les récupéreras !

Je savais que je la reverrais jamais. Ou au plus tôt dans cinquante ans.

– Tu serais pas tombé de nouveau amoureux, par hasard ? a demandé Tschick en me ramassant de l'asphalte. Sérieux, t'as vraiment le coup avec les filles ! C'est comme ça qu'on dit, non ?

35

Le soleil tapait à l'avant. L'asphalte, à distance, semblait du métal fondu. Ça faisait un moment déjà qu'on
était ressortis des montagnes. Tschick faisait route vers un
carrefour ; les voitures y étaient arrêtées, tremblant dans la
chaleur de la mi-journée. Ça ressemblait plus à un accident
qu'à un barrage, mais un gyrophare clignotait sur le toit
d'un véhicule.

Tschick a tout de suite viré à droite et a pris un chemin
de campagne bordé de hauts poteaux électriques. La route
était suffisamment large pour un camion, mais complètement envahie par les mauvaises herbes. Visiblement, ça
faisait un bail qu'elle n'avait plus été utilisée. La police
avait pas l'air de nous avoir découverts. Cela dit, on n'a
pu la voir que quelques secondes encore, la police, parce
que le chemin de campagne s'est mis à serpenter dans une
forêt de bouleaux. Sous les grands bouleaux, y avait de
plus petits bouleaux, et sous les plus petits bouleaux, de

plus petits encore. Du coup, on voyait plus rien à dix pas. Sauf le ciel, tout en haut. Et de temps en temps un poteau électrique. Le chemin devenait de plus en plus étroit et ne donnait pas franchement le sentiment de mener quelque part. On a fini par tomber sur un portillon en bois qui pendouillait hors de ses gonds. Derrière, une plaine maré-cageuse s'étendait jusqu'à l'horizon. Le paysage était tel-lement différent de ce qu'on avait croisé jusque-là qu'on s'est regardés l'air de dire : Mais où on a atterri ?

On a brièvement délibéré sur la conduite à tenir. Puis j'ai fini par sortir de la voiture, et j'ai ouvert le portillon en le faisant traîner sur le sol. Tschick est passé, et je l'ai refermé.

Par endroits, de petits renflements aplatis clairsemaient le marécage qui était d'un vert foncé, presque violet. À l'intérieur se dressaient de grands blocs de béton, dans les-quels étaient fichées des barres de métal peintes en jaune à l'extrémité. Au début, y en avait que quelques-uns, mais y en a eu de plus en plus à mesure qu'on avançait ; un tous les trois mètres, jusqu'à l'horizon. On aurait pu remettre Richard Clayderman, tellement c'était triste à mourir – triste comme un pling-pling sur piano. Le chemin aussi a commencé à devenir marécageux. La Lada crapahutait en première sur ces nids-de-poule tout ramollis ; sur le côté, les poteaux électriques nous faisaient coucou.

Je transpirais. Quatre kilomètres. Cinq kilomètres. Le terrain a commencé de monter légèrement. La série des poteaux électriques s'est arrêtée ; du dernier poteau, les câbles pendouillaient comme des cheveux fraîchement lavés. Et dix mètres plus loin, c'était la fin du monde.

Et ça, il faut le voir pour le croire : le paysage s'arrêtait, purement et simplement. On est descendus de voiture et on est allés sur la dernière touffe d'herbe : à nos pieds, le terrain était comme taillé à la verticale sur au moins trente, quarante mètres de profondeur. En contrebas s'étendait un paysage lunaire. La terre était gris clair, les cratères tellement gros qu'on aurait pu y construire des villas individuelles. Sur notre gauche, à bonne distance, un pont s'élevait au-dessus du précipice. Enfin, pont, c'est un bien grand mot. C'était plutôt un genre de châssis en bois et en fer, comme un énorme échafaudage de chantier qui menait tout droit vers l'autre rive. Peut-être deux kilomètres de long, peut-être plus, dur d'évaluer la distance. Pas facile non plus de distinguer ce qu'y avait de l'autre côté. Peut-être des arbres et des buissons. Derrière nous le grand marécage, devant nous le grand néant. Et en tendant précisément l'oreille, on n'entendait précisément rien du tout. Aucun grésillement, aucun bruissement, pas de vent, pas de mouche, rien de rien.

Après s'être creusé la tête sur le sens de ce machin, on a continué à pied jusqu'au châssis. Il était plus large que ce qu'il paraissait de loin – trois mètres environ. Et surmonté d'épais madriers. Comme il semblait pas y avoir de chemin qui contourne le précipice ; et qu'on avait pas envie de faire demi-tour, Tschick est allé chercher la Lada. Il a fait quelques mètres sur le châssis – ou pont, barrage, enfin sur le truc, quoi – et il a dit :

– C'est bon.

J'étais quand même pas hyper rassuré. Je suis remonté dans la voiture, et on a commencé à rouler sur les madriers, plus lentement qu'au pas. Ça faisait un drôle de bruit. Un bruit sourd et tellement inquiétant que j'ai fini par ressortir et marcher devant la voiture. Je guettais les planches cassées, posant prudemment le pied aux endroits suspects, plongeant à intervalles réguliers mon regard dans les trente mètres de vide. Tschick roulait à quelques mètres de distance derrière moi. Si quelqu'un nous avait croisés à ce moment-là, il nous aurait pris pour des petits vieux. En même temps, c'était pas l'autoroute des vacances, on a croisé personne.

Arrivés au point où on ne voyait presque plus la rive de départ et pas encore vraiment celle d'arrivée, on a fait une pause. Tschick a sorti du Coca, et on s'est assis sur le bord du madrier. On a essayé, du moins. Le bois était tellement brûlant qu'il fallait d'abord faire de l'ombre avant de pouvoir s'asseoir. Puis on a admiré le paysage lunaire. Et quand j'ai eu suffisamment admiré le paysage lunaire, j'ai pensé à Berlin. J'avais tout à coup du mal à me figurer que j'y avais vécu un jour. J'avais peine à imaginer que j'étais allé à l'école là-bas. Et j'arrivais pas non plus à imaginer que j'allais y retourner un jour.

De l'autre côté du pont, y avait des buissons et des herbes arides, et puis un genre de village. Une rue toute cabossée serpentait entre des maisons délabrées. La plupart des fenêtres étaient dépourvues de vitre. Les tuiles des toits étaient arrachées. Dans les rues, pas de panneau, pas de voiture, pas de distributeur de clopes, rien. Les clôtures devant les jardins étaient démontées depuis longtemps déjà. Les mauvaises herbes avaient envahi chaque fente.

On est entrés dans une ferme abandonnée et on a inspecté les pièces. Des étagères en bois moisies ; une boîte de conserve vide et une assiette posées sur la table de la cuisine ; sur le sol, un journal de 1995 avec les annonces d'une société minière. Après s'être assurés que plus personne n'habitait le village, on s'est mis à fouiller d'autres maisons, sans rien trouver d'intéressant. De vieux cintres, des bottes en caoutchouc trouées, quelques tables et quelques chaises. Je m'étais attendu à trouver au moins un cadavre, mais on a pas osé descendre dans les caves obscures.

On a poursuivi notre traversée du village en voiture. On est passés devant une ruine à deux étages, dont les fenêtres étaient condamnées par des planches en bois peinturlurées de signes blancs. Le chemin qu'on empruntait était lui aussi bordé, à droite comme à gauche, de pierres et de piquets de clôture bariolés de signes. Soudain, on a vu un énorme tas de planches au beau milieu de la route. Une ornière le contournait. Tschick s'apprêtait à s'y engager prudemment, en première, quand on a entendu une énorme détonation. Il y a eu un crissement. On s'est regardés. La Lada s'est immobilisée. Deuxième détonation. Comme si quelqu'un martelait la carrosserie de l'extérieur. Ou balançait des pierres. Ou tirait des coups de fusil. Tschick a légèrement tourné la tête, et là, j'ai vu que la vitre arrière avait l'allure d'une toile d'araignée.

D'un bond, je suis descendu. Je sais pas pourquoi, mais je me suis jeté dans l'herbe, derrière la voiture. Je me souviens pas vraiment des secondes qui ont suivi. Je crois que j'ai fait des signes de la main. Ce que je sais, parce que Tschick me l'a raconté après coup, c'est que lui a fait marche arrière et a hurlé pour que je remonte. Mais moi, j'ai crapahuté derrière la voiture et j'ai follement agité les mains au-dessus du capot. J'ai jeté un coup d'œil du côté de la ruine, vers les fenêtres dénudées. Et là, j'ai vu ce que je m'attendais à voir : dans l'embrasure de la fenêtre, y avait un type armé, le fusil en joue. Ça a duré une seconde. Puis il a relevé son fusil et l'a posé à terre. Un vieil homme.

Il était au deuxième étage de la maison peinturlurée. Il tremblait, j'avais l'impression, mais pas comme moi ; lui, c'est plutôt qu'il sucrait les fraises. Il a mis sa main en visière pour protéger ses yeux du soleil, pendant que je continuais mon remue-ménage de ouf avec les mains.

– Mais qu'est-ce tu fous ? Monte, monte ! a crié Tschick.

Je m'étais relevé et je me dirigeais vers la maison, les mains toujours remuantes.

– On ne vous veut pas de mal. On s'est trompés de route. On repart tout de suite ! je criais.

Le vieux a hoché la tête. Le fusil en l'air, il a hurlé :

– Et ça n'a pas de plan ! Pas de carte et pas de plan !

Je me suis arrêté devant sa maison. J'ai essayé de prendre une tronche qui exprime un truc du genre : Comme vous avez raison !

– Faut jamais être sans plan sur le front ! Allez, entrez ! Je vous sers une limonade. Entrez.

J'avais envie d'entrer dans sa maison comme de me pendre, logique. Mais il a vachement insisté. Et puis en fin de compte, on avait pas trop le choix : primo, on était encore dans son champ de tir, secundo, le chemin contournant le tas de planches était pas super praticable, et tertio, le vieux avait pas l'air complètement gaga. Enfin, je veux dire : il parlait comme une personne normalement constituée.

L'état de son salon – si on peut appeler ça un salon – n'était pas fondamentalement meilleur que ceux des maisons qu'on avait visitées. Certes, on voyait qu'il était habité, mais c'était vachement sombre et sale. Des tas de photos en noir et blanc étaient accrochées sur l'un des murs.

Il a fallu qu'on s'assoie sur le canapé. Et puis le type s'est ramené d'un air solennel avec une bouteille de Fanta à demi pleine.

– Buvez. Buvez à même le goulot.

Il s'est assis en face de nous, et s'est servi une espèce de pinard d'un pot de confiture, le fusil calé entre les jambes. Je m'étais attendu à ce qu'il nous pose des questions sur la Lada, sur notre destination. Mais ç'avait pas l'air de trop le titiller. Ce qui l'intéressait plus, quand il a appris d'où on venait, c'était de savoir si Berlin avait vraiment changé. Si on pouvait vraiment traverser la rue sans se faire tout de suite zigouiller. C'est qu'il avait des doutes à ce sujet. On lui a assuré environ dix fois de suite qu'on n'avait encore jamais entendu parler de meurtre et d'homicide dans notre école, quand il a brusquement demandé :

– Vous avez des bonnes femmes ?

Je voulais répondre que non, mais Tschick a été plus rapide.

– La sienne s'appelle Tatiana, et moi je suis mordu d'Angelina, a-t-il dit.

J'ai même pas été surpris. Ceci dit, la réponse avait pas l'air de satisfaire le vieux.

– Parce que vous êtes quand même deux jolis petits gars.

– Non, non, a fait Tschick.

– Non, parce qu'à cet âge, souvent on ne sait pas ce qu'on veut.

– Non, a dit Tschick en secouant la tête.

Moi aussi j'ai secoué la tête. Comme le fan ultime de Lionel Messi à qui on demande si finalement il trouve quand même pas Cristiano Ronaldo meilleur.

– Vous êtes donc amoureux, c'est ça ?

On a répété que oui. J'ai commencé à me sentir tout drôle. Il arrêtait pas de surfer sur ce thème, de parler de filles, d'amour, de dire que le mieux dans la vie, c'était le corps d'albâtre de la jeunesse.

– Croyez-moi, a-t-il dit. Le temps de fermer les yeux, la chair pendouille déjà, toute flétrie et en lambeaux. Ah, l'amour, l'amour ! *Carpe diem.*

Il a fait deux pas en direction du mur et nous a montré l'un des nombreux petits clichés. Tschick m'a jeté une œillade sceptique ; mais moi je me suis tout de suite levé, arborant un sourire genre je-sais-ce-qui-sied-dans-la-situation, et, d'un air expert, j'ai examiné la photo au-dessus de laquelle planait le doigt fripé du vieillard. C'était une photo d'identité. Sur l'un des côtés, un morceau de tampon et un bout de croix gammée. Un charmant jeune homme en uniforme scrutant l'horizon d'un air assez intraitable. Visiblement, c'était lui. Comme je contemplais la photo, le doigt fripé a fait une translation vers le cliché de droite.

– Et ça, c'est Else. C'était ma bonne femme à moi.

La photo représentait un visage aux traits saillants, j'aurais pas pu dire au premier abord si c'était un garçon ou une fille. Mais « Else » portait un autre type d'uniforme que le soldat ou le jeune nazi à côté de lui. Dans ce contexte, c'était peut-être bel et bien une fille.

Il nous a demandé si on voulait qu'il nous raconte son histoire, à lui et à Else. Et comme à ce moment-là il avait de nouveau son fusil en main (plus par inadvertance qu'autre chose, ceci dit), et comme on pouvait de toute façon difficilement dire non, on a écouté son histoire.

En fait, c'était pas vraiment une histoire. Du moins, c'était pas comme quand les gens parlent de leur grand amour.

– J'étais communiste. Else et moi, on était communistes. Communistes ultra. Et ce, pas à partir de 1945, comme tous les autres. Non. On avait toujours été communistes. On s'est connus dans le groupe de résistance Ernst Röhm. Plus personne n'imagine ça aujourd'hui, mais c'était une autre époque. Et je maniais les armes comme personne. Else, c'était la seule femme, une fille très distinguée, de la haute. Elle ressemblait à un garçon. Elle a traduit tous les écrivains censurés. Elle a traduit le Juif Shakespeare, le Ravage... Elle parlait anglais comme pas deux, y avait pas grand monde qui savait l'anglais à l'époque, et je dactylographiais ses traductions sur la machine à écrire. Ouais. C'est comme ça que c'était. L'amour de ma vie, le feu de

mes reins. Au camp de concentration, Else a tout de suite
été gazée, pendant que moi je rampais à Koursk avec mon
fusil à grenade. Avec celui-là, j'ai dégommé l'œil à un Ivan
à quatre cents mètres de distance.

– À un Ivan ? a demandé Tschick.

– À un Ivan. Un salaud de Russe.

Il a réfléchi sans nous regarder. Tschick et moi, on a
échangé un coup d'œil. Tschick paraissait pas spécialement inquiet. À vrai dire, je l'étais plus trop non plus.

– Je pensais que vous étiez communiste, j'ai dit.

– Oui.

– Et les Russes, c'était pas… des genres de communistes ?

– Si.

Il a de nouveau réfléchi.

– Et je pouvais dégommer un œil à quatre cents mètres !
Horst Fricke, le meilleur tireur de l'escadron. J'avais plus
de feuilles de chêne sur la poitrine qu'une putain de forêt.
Comme des pigeons d'argile que je te les ai zigouillés !
Ils étaient complètement fracassés. Ou plutôt : les com-
mandants étaient complètement fracassés. Ils ont lancé
les hordes à nos trousses. Devant, Sinning débarrasse la
table avec son FM, et derrière, y a Fricke le tireur d'élite.
Des fois, c'était Fricke contre Ivan en direct. Et eux aussi
ils avaient des armes. Faut réfléchir avant de poser des
questions connes. Si tu penses pouvoir te ramener avec ta
morale et toutes ces conneries. Eux ou moi : c'était ça, la

question. Tous les jours des Ivan, de la chair fraîche qui nous déboule dessus. Un océan de viande. Ils en avaient trop, de viande. Espace vital à l'est, qu'ils disaient. Y avait beaucoup trop de Russes, là-bas. Y en avait de la tchéka derrière chaque ligne pour buter tous ceux qui voulaient pas se jeter dans notre tir de barrage. On dit toujours : les nazis étaient cruels. Mais en comparaison des Russes, c'était de la graine de gnognote. Et c'est comme ça qu'ils nous sont passés dessus : avec de la viande. Avec des machines, ils y seraient jamais arrivés. Un Ivan et encore un Ivan et encore un Ivan. J'avais deux centimètres de cornée à mon index droit. Là.

Il nous a tendu ses deux index. Effectivement, celui de droite avait une petite bosse à l'extrémité. Si elle venait vraiment d'Ivan, ça, bien sûr, je sais pas.

– Tout ça, c'est n'importe quoi, a dit Tschick.

Curieusement, le vieux a pas vraiment réagi à cette objection. Il a continué de blablater encore un moment, mais on n'a finalement rien appris de plus concernant son grand amour.

– Faut bien vous mettre un truc en tête, mes mignons, a-t-il dit enfin. Tout est absurde. Tout. Même l'amour. *Carpe diem.*

Puis il a sorti une petite fiole en verre brun de sa poche et nous l'a tendue, comme si c'était le truc le plus précieux du monde. Il a fait tout un pataquès à son sujet, mais il a pas voulu nous dire ce qu'y avait dedans. L'étiquette avait jauni ; on avait l'impression qu'il avait trimbalé cette fiole dans sa poche depuis la bataille de Koursk. On ne devait l'ouvrir qu'en cas de besoin, a-t-il souligné, quand la situation deviendrait tellement critique qu'on ne saurait plus quoi faire. Pas avant. Là, elle nous aiderait. Il a même dit sauver. Elle nous sauverait la vie.

On est retournés avec la fiole dans la voiture. Je l'ai tenue à la lumière, mais je pouvais rien distinguer. C'était un liquide quelconque, plutôt visqueux, plus un truc solide.

Dans la voiture, Tschick a essayé de déchiffrer les ombres sur l'étiquette. Quand il a ouvert la fiole, ça a commencé à schlinguer les œufs pourris. Du coup, il a balancé la fiole par la fenêtre.

37

On a paumé la rue peu après le village ; on a dû prendre à travers champs. Quelque part à gauche s'étendait la carrière ; sur la droite, le terrain s'affaissait en un immense talus d'éboulis. Entre les deux, une piste de quarante, cinquante mètres de large formait un étroit plateau. En me retournant, j'ai vu le village dans le lointain, la maison à deux étages dans laquelle habitait Fricke le tireur d'élite, et... une voiture de flics qui s'arrêtait devant la maison. Toute petite, à peine visible, mais incontestablement une voiture de flics. Ils étaient en train de faire demi-tour. J'ai fait signe à Tschick. On s'est alors mis à brûler le pavé à près de quatre-vingts à l'heure.

La piste devenait de plus en plus étroite et le bord des falaises se rapprochait dangereusement. On a alors vu un lacet d'autoroute, quelque part en contrebas du talus ; y avait là un refuge avec deux tables, une poubelle et une borne de détresse. On aurait pu rentrer sur l'autoroute à ce niveau si y avait eu un chemin quelque part. Mais aucun chemin ne descendait depuis ce putain de plateau, qui s'est purement et simplement arrêté. J'ai jeté des coups d'œil désespérés par la vitre arrière ; Tschick a foncé droit sur le talus, un escarpement à quarante-cinq degrés fait de graviers et d'éboulis.

– Je descends ou qu'est-ce que je fais ?!

Je savais pas quoi dire. Il a appuyé par à-coups sur la pédale de frein, mais on avait déjà dépassé le bord de la route dans un bruissement. C'était la fin.

Si ça se trouve, on serait parvenus en bas sans encombre si on était descendus tout droit. Mais Tschick a pris le talus de biais, et la Lada a tout de suite déraillé. Elle a d'abord glissé, puis elle est restée en suspension avant de faire des tonneaux. Trois, quatre, cinq, six – je sais pas. Après, elle est restée tanquée sur le toit. J'ai pas trop bité ce qui se passait. Ce que j'ai bité après coup, c'est que la portière passager était ouverte. J'ai essayé en vain de ramper hors du véhicule. J'ai mis genre une demi-heure pour capter que j'étais pas paralysé, mais juste coincé par la ceinture de sécurité. Enfin dehors, j'ai vu – cités dans leur ordre d'apparition : directement devant mes yeux une poubelle d'autoroute verte, une Lada renversée dont le capot fumait et chuintait dans tous les sens, et enfin Tschick, qui déambulait dans le paysage à quatre pattes. Il s'est redressé d'un bond et a légèrement titubé. Puis il a gueulé : « On se casse ! » avant de se mettre à courir.

Mais moi, j'ai pas couru. Pour aller où ? Derrière nous, probable que le plateau grouillait de flics ; devant nous, y avait l'autoroute, et derrière l'autoroute, des champs à perte de vue. Pas exactement le terrain idéal pour échapper à une patrouille de police. Autour du refuge d'autoroute s'élevaient des arbres et des buissons. Quelque part derrière les champs, une espèce de grosse bâtisse blanche – une usine probablement.

– Qu'est-ce que t'as ? a crié Tschick. T'es blessé ?

Est-ce que j'étais blessé ? Non, ça n'en avait pas l'air. Quelques bleus tout au plus.

– Ça va pas ? a-t-il demandé en revenant vers moi.

Je voulais commencer d'expliquer pourquoi je trouvais ridicule de courir pour échapper aux flics quand des branches ont craqué à côté de nous. Un hippopotame a fendu les buissons dans un bruissement de feuilles. Quelque part dans la pampa allemande, à proximité d'une autoroute, un hippopotame a fendu les buissons et nous a chargés. Il avait un pantalon de tailleur bleu, une permanente blonde et crépue sur la tête, un extincteur d'incendie à la main. Quatre ou cinq bouées de gras ballottaient à sa taille. Il a foulé l'herbe des deux brise-mottes qui passaient leur tête hors du pantalon, avant de s'arrêter devant la Lada, l'extincteur en l'air.

Rien ne brûlait.

J'ai regardé Tschick. Tschick m'a regardé. Et puis on a regardé la femme. Car c'était une femme, pas un hippopotame. Personne n'a rien dit. Je me souviens d'avoir pensé : Et maintenant y a un jet blanc qui va gicler de cet extincteur et nous enterrer sous une montagne de mousse blanche.

Pendant un instant, la femme a semblé attendre que la voiture explose, histoire d'utiliser son extincteur. Mais la Lada agonisait comme elle avait vécu : dans la lassitude. Le capot ne faisait que chuinter. L'une des roues arrière a encore tourné avant de ralentir et de s'immobiliser définitivement.

– Il vous est arrivé quelque chose ? a demandé la femme en jetant un œil méfiant au capot.

Tschick a tapoté l'extincteur de l'index.

– Ça brûle, non ?

– Oh mon Dieu !

La femme a vite abaissé son engin.

– Il vous est arrivé quelque chose ?

– Rien du tout, a répondu Tschick.

– Toi non plus, rien de cassé ?

J'ai fait signe que non.

– Où est votre père ? Ou votre mère ? Qui conduisait ?

– Moi, a répondu Tschick.

La femme a secoué la tête. Laquelle ressemblait à sa taille.

– Vous avez juste pris…

– C'est une voiture volée, a dit Tschick.

À en croire le médecin qui m'a examiné par la suite, j'étais déjà à ce stade en état de choc. Quand on est en état de choc, tout le sang va dans les jambes ; du coup, y en a plus pour le cerveau. Et en gros, on déraille un peu. Voilà ce qu'il a dit, le médecin. Et il a dit aussi que c'était comme ça depuis l'âge de pierre où les hommes de Néandertal marchaient dans la forêt. Quand un mammouth déboulait de la droite, on était sous le choc, et du coup tout le sang allait droit dans les jambes pour qu'on puisse mieux courir. Dans ce genre de contexte, l'important, c'est pas de réfléchir. Ça paraît bizarre, mais encore une fois : c'est le médecin qui dit ça. Peut-être donc que Tschick avait eu raison de vouloir s'enfuir et moi tort de vouloir rester ; après coup, on est toujours plus intelligent. Toujours est-il que devant nous, y avait une femme avec un extincteur ; et si moi j'étais en état de choc, et si Tschick aussi était en état de choc, alors ça veut dire que la femme, elle était en état de choc puissance dix. Peut-être parce qu'elle avait assisté à notre crash. Ou parce que Tschick lui avait dit que c'était une voiture volée. En tous les cas, elle tremblait comme une feuille. Elle a tendu la main vers une goutte de sang qui coulait sur la joue de Tschick, et elle a fait :

– Oh mon Dieu.

L'extincteur lui en est tombé des mains. Et il est allé droit sur le pied de Tschick qui a basculé en arrière et s'est vautré dans l'herbe. Il a attrapé sa jambe des deux mains et l'a balancée à la verticale en hurlant. La femme a de nouveau crié « Oh mon Dieu ! » avant de s'agenouiller à côté de Tschick.

– Merde, j'ai dit.

Puis j'ai furtivement jeté un œil vers le haut de la corniche. Toujours pas de flics en vue.

– C'est cassé ?

– Est-ce que je sais, moi ?! a crié Tschick en faisant des roulés-boulés dans l'herbe.

Résumé de la situation. On parcourt l'Allemagne dans tous les sens, on roule au-dessus d'un précipice sur un échafaudage de chantier, on est canardés par Fricke le tireur d'élite, on fait de la planche sur une piste avant de dévaler la corniche en surf free style – le tout sans la moindre égratignure. Et voilà que des buissons débarque un hippopotame qui démolit le pied de Tschick avec son extincteur à incendie.

On était là tous les trois, perchés au-dessus de ce pied, sans savoir si c'était vraiment cassé ou si c'était juste la cheville qu'était foulée. La femme se lamentait :

– Je suis tellement désolée !

Pour ça, elle était vraiment désolée, ça se voyait. Elle semblait presque avoir plus mal que Tschick, à en juger à sa tronche. Mais tandis qu'un vide intersidéral m'envahissait et que Tschick se tortillait dans tous les sens en geignant, c'est quand même elle qui a lentement repris le contrôle de la situation. Elle a tâté tout autour du genou de Tschick, relevant sa jambe, faisant pivoter la cheville. « Aïe, aïe, aïe », qu'elle faisait, en écho aux geignements de Tschick.

– Il faut que t'ailles à l'hôpital, fut sa conclusion.

Je m'apprêtais à dire « Attends ! », mais l'hippopotame avait déjà soulevé Tschick de son onglon.

Tschick a braillé, mais plus de surprise que de douleur. Et puis la femme a disparu entre les buissons aussi vite qu'elle en était apparue. J'ai couru après eux.

Derrière les buissons était garée une BMW couleur de camouflage. La femme a balancé Tschick sur le siège passager. Je me suis assis à l'arrière. Au moment où elle s'est mise au volant, la voiture s'est affaissée d'un demi-mètre sur la gauche, et Tschick a sautillé côté passager. C'est énorme, je me suis dit à ce moment-là. Mais j'aurais mieux fait de réserver le mot pour les minutes qui ont suivi.

– Maintenant, il s'agit de se dépêcher !

Et là, elle pensait vraisemblablement pas à fuir les flics.

J'étais le seul à m'être retourné sans arrêt et à avoir remarqué que la voiture de flics avait dû descendre la corniche d'une manière ou d'une autre. Encore à bonne distance, elle fonçait le long du talus, gyrophares allumés.

– Attachez votre ceinture ! a dit la femme en appuyant à fond sur l'accélérateur.

Une seconde plus tard, la BM série 5 roulait à cent à l'heure. Dans le virage, j'ai valdingué sur la banquette arrière comme un vulgaire papier, et Tschick a gémi.

– Attachez votre ceinture ! a répété la femme.

J'ai attaché ma ceinture.

– Et vous ? a demandé Tschick.

Par la lunette arrière de la voiture, j'ai vu le trafic s'évanouir peu à peu. La sirène des flics s'est perdue quelque part dans le lointain. Pas étonnant d'ailleurs ; entre-temps, on roulait à deux cent cinquante. Et puis de toute façon, ni la femme ni Tschick ne semblaient avoir entendu la sirène. Ils causaient ceinture de sécurité.

– C'est pas ma voiture. J'ai besoin de deux mètres de ceinture au moins ! a-t-elle dit en gloussant.

Elle avait une voix normale, mais son gloussement était très aigu. Un peu comme une petite fille à qui on chatouille le ventre.

Quand des obstacles se dressaient devant nous, elle klaxonnait ou faisait des appels de phare. Et si les bagnoles ne dégageaient pas, elle doublait à toute allure sur la bande d'arrêt d'urgence, la mine aussi paisible que si elle était en train de prendre la file du McDrive. Elle avait indubitablement digéré ses cinq états de choc.

– On a le droit, en cas d'urgence.

Nouveau gloussement.

– Et alors, vous l'avez conduite, cette voiture ?

– On est en vacances, a dit Tschick.

– Et vous l'avez volée ?

– Juste empruntée, en fait. Volée, si vous préférez. Mais on a l'intention de la ramener, je vous le jure.

La BM continuait de foncer. La femme a rien répondu. Qu'est-ce qu'elle aurait pu dire ? Nous, on pique une bagnole ; elle, elle balance son extincteur sur le pied de Tschick. Dans le rétro, j'arrivais pas trop à distinguer ce qui lui passait par la tête. Au cas où quelque chose lui passait par la tête. Elle était pas hystérique pour deux sous, en tous les cas.

Elle a fait une queue de poisson à deux camions avant de reprendre :

– Vous êtes donc des roulottiers, tous les deux.

– Si vous le dites, a rétorqué Tschick.

– Je le dis.

– Et vous, vous êtes quoi ?

– La voiture est à mon mari.

– Je voulais dire : vous faites quoi ? Et vous savez, au fait, où il y a un hosto par ici ?

– L'hôpital est à cinq kilomètres. Et je suis orthophoniste.

– Et qu'est-ce qu'on guérit quand on est orthophoniste ?

– J'apprends aux gens à parler.

– Aux nourrissons, ou quoi ?

– Aussi aux enfants. Mais essentiellement aux adultes.

– Vous apprenez aux adultes à parler ?! Aux analphabètes, alors ?

Tschick a fait la grimace. À présent, il était totalement concentré sur ce que la femme disait. Je crois qu'il voulait surtout oublier sa douleur au pied, mais d'une certaine manière, il était aussi captivé par le sujet.

Pendant que les deux discutaient à l'avant, je passais mon temps à jeter des coups d'œil par la vitre arrière. Peut-être j'entendais pas tout de leur conversation. Encore une fois : j'étais en état de choc. Mais ce que j'entendais, c'était :

– La phonation. Des chanteurs, ou des gens qui font souvent des conférences. Ou qui bafouillent. La plupart des gens ne parlent pas bien. Toi non plus, tu ne parles pas bien.

– Mais vous me comprenez, quand même ?!

– C'est une question de voix. Il faut que la voix porte. Ta voix à toi, elle vient de là.

Et elle a porté sa main à son cou.

Depuis qu'elle discutait le bout de gras avec Tschick, elle avait un peu décéléré, probablement sans s'en rendre compte. On n'était plus qu'à cent quatre-vingts. J'ai tapoté l'épaule de Tschick, mais il était à fond dans sa discussion.

– Je parle avec la bouche, si c'est ça que vous voulez dire.

– Parler normalement, c'est autre chose qu'avoir une voix qui porte. Une bonne voix qui porte vient de là, du centre. Chez toi, elle vient d'ici. Mais en fait, elle doit venir de là.

Au dernier « là », elle a frappé deux fois sous sa poitrine, et du coup ça a fait « làààà ».

– De làààà ? a dit Tschick en se cognant lui-même sous la poitrine.

– Imagine que c'est comme en sport. L'ensemble du corps est impliqué. Le diaphragme, les abdominaux, le bassin : tout rentre en jeu. Deux tiers viennent du diaphragme, un tiers seulement des poumons.

Cent soixante kilomètres à l'heure. Si ça continuait comme ça, l'orthophonie allait faire arrêter la voiture.

– Le plus important, c'est qu'on arrive vite à l'hosto, j'ai dit.

– Ça va, a dit Tschick. Ça fait plus tellement mal.

Je me suis pris la tête entre les mains.

– Quand tu parles d'ici, a dit la femme, tu ne produis qu'un croassement. L'air sort de la gorge comme ça : reu reu. En réalité, ça doit venir de là.

Elle a formé un O avec sa bouche, ses mains soulevant un invisible trésor de son ventre – du coup, elle a brièvement dû lâcher le volant. Tschick a pris les commandes.

– De là, a-t-elle répété. OOOH !

J'ai commencé à flipper. Tschick matait la femme d'un air douloureusement enthousiaste. J'ai de nouveau essayé de lui faire signe, mais il n'a pas compris. Ou il n'y a pas prêté attention. Ou l'état mental de la meuf était contagieux. Le compteur affichait cent quarante. La police n'était pas encore en vue.

– OOOH ! OOOH ! OOOH ! faisait la femme.

– Oh ! Oh ! faisait Tschick.

– Fais descendre ton centre ! l'a-t-elle corrigé en réaccélérant un peu. L'homme est comme un tube de dentifrice. Quand on appuie dessus, il en sort quelque chose. OOOH ! OOOH ! OOOH !

– Oh ! Oh !

– Oui, c'est mieux. OOAAAAAAHHH !

– Oaaahh !

Sans déconner, ç'a été comme ça jusqu'à ce qu'on arrive à l'hosto. On s'est catapultés hors de l'autoroute, on a tourné deux fois à droite, et deux minutes plus tard, on était devant un immense bâtiment blanc au milieu de la pampa. Aucune trace des flics.

– Une excellente clinique, a dit la femme.

– J'ai pas d'assurance maladie, a dit Tschick.

L'espace d'un instant, la femme a paru interloquée. Puis elle s'est penchée sur Tschick et a débloqué la portière à sa place d'un air décidé.

– Pas de problème. C'est ma faute, c'est moi qui paye, bien sûr. Ou mon assurance. Ou quelqu'un d'autre. Courage.

39

Aux urgences, c'était pas mal le bazar, on était dimanche soir, et y avait au moins vingt personnes devant nous à l'accueil. À l'avant de la file, un type au jean délavé dégueulait dans un seau qu'il tenait sous son bras. De son autre main, il a glissé sa carte d'assuré sur le comptoir.

– Attendez dehors, nous a dit l'infirmière de l'accueil.

Tschick et moi, on s'est assis sur des chaises en plastique. Au bout d'une longue attente, l'orthophoniste s'est levée et est allée chercher des boissons et des barres au chocolat à un distributeur. On a été appelés à ce moment-là. Comme Tschick arrivait pas à se lever avec son pied, j'y suis allé à sa place pour expliquer l'affaire.

– Et comment s'appelle-t-il ?

– Andrej (je l'ai prononcé à la française). André Langin.

– Son adresse ?

– Waldstrasse. Numéro 15.

– A-t-il une mutuelle ?

– Oui, Alien.

– Allianz ?

– C'est ça.

Allianz. André se l'était joué à mort avec sa mutuelle, le jour de la visite médicale. Comme quoi c'était génial d'avoir une bonne mutuelle. Gros con. Remarque, ça m'arrangeait bien, dans la situation. Mais ma voix tremblait un peu quand même. J'aurais mieux fait de participer au stage d'orthophonie, moi aussi.

En fait, j'étais surtout angoissé à la perspective qu'on me pose d'autres questions. Je m'étais encore jamais présenté aux urgences.

– Date de naissance ?

– Le 13 juillet 1996.

J'avais aucune idée de la date d'anniversaire d'André. J'espérais bien que la femme ne pouvait pas vérifier tout de suite.

– Qu'est-ce qu'il lui est arrivé ?

– Un extincteur qui lui est tombé sur le pied. Peut-être qu'il a aussi quelque chose à la tête, ça saigne. Cette dame, là – j'ai désigné l'orthophoniste qui arrivait justement du couloir les bras chargés de barres au chocolat – pourra vous le confirmer.

– C'est bon, c'est bon, arrête ton char ! m'a rétorqué l'infirmière.

Elle tenait à l'œil le type avec le seau et semblait à deux

doigts d'y aller. À deux reprises pendant la minute qu'a duré notre conversation, elle s'est même à moitié redressée, genre je vais le foutre à l'étuve, celui-là, mais à chaque fois elle a fini par se rasseoir.

– Le médecin va vous appeler.

Le médecin va nous appeler. C'était simple comme bonjour, finalement.

L'orthophoniste a eu l'air un peu surprise que j'aie déjà tout arrangé pour les questions d'assurance.

– J'ai juste donné mon nom, j'ai dit.

Elle s'est rassise avec nous pour attendre notre tour. On lui a dit, bien sûr, que c'était pas la peine, mais elle se sentait vaguement responsable, j'avais l'impression. Pendant des heures, elle a discuté avec nous thérapie orthophonique, jeux vidéo, films, filles et roulottiers. Elle était vraiment super sympa. Quand on lui a raconté qu'on avait essayé d'écrire nos noms dans le champ de blé avec la Lada, elle a pas arrêté de glousser. Et quand on a affirmé qu'après, on allait rentrer à Berlin en train, elle nous a crus.

Y avait tout le temps des gens en sang qui nous passaient devant au pas de course. Quand, à minuit, notre tour n'était toujours pas venu, la femme a fini par prendre congé. Elle a demandé au moins cent fois encore si on n'avait besoin de rien. Elle nous a donné son adresse au cas où on voudrait réclamer des « dommages et intérêts » ou un truc du genre. Puis elle a sorti son porte-monnaie et nous a tendu deux billets de cent euros pour le trajet en train. J'étais assez gêné, mais je voyais pas comment refuser. À la fin, elle a dit un truc hyper bizarre. Alors qu'elle venait de se couper en quatre pour nous, elle nous a regardés et elle a lancé :

– Vous avez l'air de deux patates.

Et elle s'est barrée. A passé la porte tournante et s'en est allée. J'ai trouvé ça super drôle. Et même maintenant, ça me fait rigoler quand j'y pense : vous avez l'air de deux patates. Je sais pas si quelqu'un peut comprendre. Mais elle était vraiment la plus sympa de tous.

Puis ç'a enfin été le tour de Tschick. Il est ressorti une minute plus tard ; on devait monter à la radio. J'étais complètement crevé. J'ai même fini par m'endormir dans le couloir. Quand je me suis réveillé, Tschick se tenait devant moi avec deux béquilles et un plâtre. Un vrai plâtre. Pas seulement un truc genre en plastique.

Une infirmière lui a filé des comprimés contre la douleur. Elle nous a sommés de rester, parce que le médecin aussi voulait examiner le pied. Je me suis demandé qui donc avait bien pu faire le plâtre sinon le médecin. Le gardien peut-être ? L'infirmière nous a indiqué une chambre libre. Les deux lits venaient d'être faits.

L'ambiance n'était plus à la franche rigolade. Notre voyage était terminé – même si personne d'autre que nous ne le savait. On se sentait assez pitoyables. J'avais aucune envie de prendre le train pour aller où que ce soit. Les cachets de Tschick commencèrent à faire effet. Il s'est allongé sur le lit en gémissant. Je suis allé à la fenêtre et j'ai regardé dehors. Il faisait encore sombre ; mais comme je pressais mon nez contre la vitre et mes mains sur mes joues, j'ai vu que le jour commençait déjà à poindre. J'ai vu le jour se lever, et...

J'ai ordonné à Tschick d'éteindre la lumière. Il s'est servi de la béquille comme télécommande. Le paysage a immédiatement surgi. J'ai vu une cabine téléphonique dans l'entrée des ambulances. J'ai vu une benne de béton désactivé. J'ai vu une barrière, un champ. Ce champ, il me disait quelque chose... Avec l'aube, je pouvais distinguer trois véhicules de l'autre côté du champ. Deux voitures et un camion-grue.

– J'y crois pas... Tu devineras jamais ce que je vois.

– Qu'est-ce que tu vois ?

– Je sais pas.

– Allez, arrête !

– Regarde.

– Regarde mon cul. Je regarde rien du tout, a dit Tschick. Un temps.

– Qu'est-ce que tu vois ?

– Il faut que tu regardes toi-même.

Gémissements. Cliquetis de béquilles. Et puis Tschick a pressé son nez à côté du mien.

– C'est pas vrai !??!

– J'y comprends rien non plus.

On fixait le champ en jachère qu'il y a quelques heures à peine on avait vu depuis l'autre côté, avec le cube blanc en face. L'orthophoniste avait fait cinq kilomètres en boucle.

Le soleil n'avait pas encore surgi à l'horizon qu'on pouvait déjà très bien distinguer la Lada noire dans le refuge jouxtant l'autoroute. Elle était sur ses roues. Quelqu'un avait dû la retourner. Le coffre était ouvert. Trois hommes ont fait le tour de la voiture, puis ils se sont concertés avant de recommencer leur petit manège. L'un était en uniforme, deux en bleu de travail – si je ne me trompais pas. La grue a oscillé au-dessus de la Lada, un type a fixé les chaînes aux roues. Le mec en uniforme a fermé le coffre, l'a rouvert, l'a refermé, puis est allé vers le camion-grue. Puis y en a deux qui sont retournés à la Lada. Puis un qu'est retourné au camion.

– Mais qu'est-ce qu'ils foutent ? a fait Tschick.

– Ben tu vois pas ?

– Non mais je veux dire : qu'est-ce qu'ils foutent ?

Il avait raison, en fait les types passaient leur temps à aller de la Lada au camion-grue, faisaient trois fois les mêmes trucs, et au final, ils foutaient que dalle. Peut-être une recherche de traces, ou un truc dans le genre ? Tschick s'est rallongé sur le lit en gémissant.

– Tu me réveilles s'il se passe quelque chose.

Mais il se passait absolument rien. Y en avait un qui trafiquait après les chaînes, l'autre qu'allait vers la grue, et le dernier qui clopait tranquillou.

L'image a brusquement disparu : quelqu'un avait allumé la lumière dans la chambre. Le médecin se tenait à la porte, haletant. Il avait l'air complètement explosé. Un bouchon de ouate rougeâtre pendouillait dans l'une de ses narines jusqu'à sa lèvre supérieure. Il s'est lentement avancé jusqu'au lit de Tschick en traînant ses savates.

– Levez la jambe.

Question voix, c'était la Seconde Guerre mondiale.

Tschick la lui a tendue. D'une main, le médecin a secoué le plâtre ; de l'autre il retenait le bouchon de ouate dans sa narine. Il a chipé l'une des radios de l'enveloppe, l'a tenue à la lumière, l'a jetée dans le lit à côté de Tschick et est ressorti en traînant les savates. Arrivé à la porte, il s'est retourné.

– Contusion. Fissure. Quatorze jours.

Puis il a subitement levé les yeux au ciel. Sa hanche a cherché appui contre le cadre de la porte, comme pour retrouver l'équilibre. Il a inspiré profondément avant d'ajouter :

– Pas bien grave. Quatorze jours de repos. Consultez votre médecin traitant à la maison.

Il a regardé Tschick pour voir s'il l'avait compris. Tschick a hoché la tête.

Le médecin a refermé la porte derrière lui – et l'a brusquement rouverte deux secondes plus tard, franchement réveillé comparativement à juste avant.

– Une devinette ! s'est-il écrié en nous jetant un regard enjoué. Quelle est la différence entre un médecin et un architecte ?

Comme on savait pas, il a donné la réponse lui-même :

– Le médecin, lui, il enterre ses erreurs.

– Hein ?! a dit Tschick.

Le type a fait un signe de la main, genre never mind.

– Quand vous partez, je veux dire, quand vous serez fatigués, y a du café dans la salle des infirmières, vous pouvez vous servir. Plein de bonne caféine.

Il a refermé la porte. Mais j'ai pas pris le temps de trouver le type super strange, parce que je me suis précipité à la fenêtre. Tschick a éteint la lumière de sa béquille, et j'ai encore pu voir la voiture de flics rouler sur l'autoroute. La fourrière était déjà partie. Y avait plus que la Lada sur le parking. Tschick n'y croyait pas.

– La grue était cassée, ou quoi ?

– Je sais pas, moi.

– Alors c'est maintenant ou jamais.

– Quoi, maintenant ou jamais ?

– Comment ça, quoi ?

Il a enfoncé les béquilles contre la vitre.

– Elle marche plus de toute façon, j'ai dit.

– Qu'est-ce t'en sais ? Et même si elle marche plus, on s'en fout. Il faut au moins qu'on récupère nos affaires. Si elle marche plus.

– Elle marche plus.

– Qui ça, elle ? Qui ne marche plus ? a demandé l'infirmière en appuyant sur l'interrupteur.

Elle tenait la fiche de Tschick (ou plutôt d'André) dans

une main et deux gobelets de café dans l'autre.

– Tu t'appelles André Langin, j'ai chuchoté en me frot-
tant les yeux, comme si j'étais ébloui par la lumière.

Tschick a dit un truc du genre qu'on devait rentrer à la
maison – et malheureusement, c'était aussi pour ça que
l'infirmière voulait nous parler.

40

– Berlin, c'est trop loin. Où devez-vous aller ?

– Aucun problème, j'ai expliqué, on est en vacances chez notre tante.

Et là, j'aurais mieux fait de me taire. L'infirmière ne m'a certes pas demandé où la tante habitait, mais elle m'a traîné dans la salle des infirmières et m'a posté devant un téléphone. Tschick a brassé l'air de ses béquilles, affirmant qu'en fait, on pouvait très bien y aller à pied. Mais l'infirmière a répondu :

– Essayez d'abord de l'appeler. Vous connaissez le numéro, non ?

– Oui, oui, bien sûr, j'ai dit.

J'avais vu les pages blanches posées sur un coin de la table, je voulais pas qu'elle me les refile, en plus de tout. J'ai donc composé un numéro au pif, en espérant instamment que personne ne réponde. À quatre heures du matin.

J'ai entendu le tut-tut de la connexion. Visiblement, l'infirmière l'entendait aussi car elle est restée près de nous. C'est clair, le mieux aurait été d'appeler à la maison ; là, j'aurais été assez peinard que personne ne décroche. Mais avec l'indicatif berlinois, ça aurait fait un numéro de onze chiffres, et le regard de l'infirmière était déjà suffisamment méfiant comme ça.

Ça a sonné. Une fois, deux fois, trois fois, quatre fois. J'étais en train de me dire que j'allais pas tarder à pouvoir raccrocher et prétexter que notre tante dormait sûrement à poings fermés et que, du coup, à pied...

– Heu... Allô ? a fait une voix d'homme à l'autre bout du fil.

– Ah, salut, tata Mona !

– Vous êtes chez Reiber, ici ! a gémi le type à moitié endormi. Y a pas de tartouze ici. Pas de Mona.

– Je t'ai réveillée ? j'ai continué. Eh oui, bien sûr, question idiote. Voilà, faut que je te dise, il nous est arrivé un truc...

J'ai fait un signe à l'infirmière, genre que tous nos problèmes étaient résolus, qu'elle pouvait retourner vaquer à ses occupations, au cas où elle en avait. Mais manifestement, elle n'en avait pas. Elle est restée inébranlablement scotchée à côté de moi.

– Hé ho ! Vous avez fait un mauvais numéro, je vous dis ! Vous êtes chez Reiber, ici ! disait la voix.

– Oui, oui, je sais. Et j'espère que... oui... oui, j'ai continué, tout en faisant une tête laissant entendre à Tschick et à l'infirmière que tata Mona était super surprise – et inquiète – de recevoir un coup de fil de notre part à cette heure indue.

Le silence qui a suivi à l'autre bout du fil était presque plus déconcertant que la soufflerie de buffle qui l'avait précédé.

– Oui, non… Il nous est arrivé un truc. André a eu un petit accident, quelque chose lui est tombé sur le pied… Non, non, on est à l'hôpital. On lui a mis le pied dans le plâtre.

J'ai regardé l'infirmière. Tata Mona contrôlait à fond la situation, à présent. Elle prenait les choses en main.

Des bruits incompréhensibles venaient du combiné. Tout à coup, la voix est revenue, moins somnolente cette fois.

– Ça y est, je comprends, a dit l'homme, c'est une conversation fictive.

– Oui, j'ai dit, mais c'est pas un problème. C'est vraiment pas grave, juste une fissure.

– Et moi, je suis tata Mona.

– Non. Je veux dire… Si. Oui, oui, voilà, c'est ça.

– Et à côté de toi, il y a quelqu'un qui écoute ce que tu dis.

L'homme a fait un petit bruit que je n'arrivais pas à interpréter, je crois qu'il rigolait doucement.

– Oui, c'est ça.

– Et si maintenant je me mets à hurler, t'es dans la merde, c'est bien ça ?

– Ben oui. Heu… non. Te fais vraiment aucun souci, tout est réglé.

– Il n'y a rien du tout de réglé, a décrété l'infirmière. Il faut qu'elle vienne vous chercher.

– T'as besoin d'aide ? a demandé le type du téléphone.

À en juger à son air, l'infirmière semblait prête à m'arracher à tout moment le combiné des mains pour parler elle-même avec tata Mona.

– Il faudrait que tu viennes nous chercher, tata Mona. Tu peux ? Oui ?

– Je comprends pas très bien où tu veux en venir, a dit le type, mais tu m'as l'air dans de drôles de draps. T'es menacé par quelqu'un ?

– Non.

– Se casser le pied, faire des appels fictifs à quatre heures du mat... Le tout alors que tu me sembles avoir treize ans, à en juger par ta voix. Tu es dans de beaux draps. Ou plutôt : vous êtes dans de beaux draps.

– Oui... enfin... oui.

– Et bien sûr, tu peux pas dire lesquels. Encore une fois : t'as besoin d'aide ?

– Non.

– Sûr ? C'est ma dernière offre.

– Non.

– OK. Alors je t'écoute juste.

– Disons... Si tu pouvais venir nous récupérer en voiture...

J'étais complètement perturbé.

– Puisque tu ne veux pas.

Et il a rigolé. Et ça, ça m'a complètement embrouillé. S'il avait raccroché, ou s'il m'avait gueulé dessus, j'aurais compris, à quatre heures du mat. Mais qu'il se fende la poire comme ça et qu'il nous propose son aide, alors là. Vieille canaille. Mon père m'avait toujours expliqué que le monde était mauvais. Depuis que je suis tout petit. Le monde est mauvais et l'homme n'est pas bon. Ne te fie à personne, ne va pas avec des étrangers, et tout le bazar. Mes parents m'ont dit ça, mes profs, la télé. Que ce soit aux info, sur M6 ou ailleurs : l'homme est mauvais. Et peut-être c'est vrai à quatre-vingt-dix-neuf pour cent, d'ailleurs. Mais ce qui est fou, c'est que pendant notre voyage, Tschick et moi n'avons croisé que le un pour cent restant. Tu réveilles un type à quatre heures du mat pour lui dire que t'as pas besoin de lui, et lui est genre super aimable et te propose même son aide, par-dessus le marché. Peut-être faudrait le signaler, à l'école, histoire qu'on soit pas complètement à l'ouest quand on rencontre des types comme ça. En tous les cas, moi, j'étais tellement à l'ouest que j'ai plus arrêté de bafouiller.

– Et… dans vingt minutes, tata Mona ? OK, très bien. Tu viens nous chercher dans vingt minutes. Super.

Et le sommet de ma performance, c'est quand je me suis adressé à l'infirmière pour lui demander :

– Comment s'appelle l'hôpital, déjà ?

– Mauvaise question ! a immédiatement soufflé l'homme.

L'infirmière a froncé les sourcils. Putain, quel con.

– Clinique Virchow, a-t-elle dit lentement. C'est le seul hôpital à cinquante kilomètres à la ronde.

– Eh oui, a dit l'homme.

– Ah… c'est ce qu'elle vient de me dire aussi ! j'ai dit en désignant le combiné.

– Et en plus, vous n'êtes pas du coin, manifestement, a dit l'homme, vous êtes vraiment dans la merde jusqu'au cou. J'espère au moins pouvoir lire ce qui s'est passé dans le journal.

– J'espère aussi, j'ai dit, sûrement. Bon, ben, on t'attend, alors.

– Bonne chance à vous deux.

– Merci à v… à toi.

L'homme a rigolé encore un coup et puis j'ai raccroché.

– Elle a ri ??? a demandé l'infirmière.

– C'est pas la première fois qu'on lui cause des soucis, a dit Tschick qui avait capté la moitié du truc. Elle connaît la chanson.

– Et elle trouve ça drôle ?

– Elle est cool, a répliqué Tschick, en insistant sur le mot cool pour bien faire comprendre que toutes les personnes présentes dans la pièce ne l'étaient pas nécessairement.

On est restés près du téléphone encore un moment. Puis l'infirmière a fini par dire :

– Vous êtes de drôles de cocos, tous les deux.

Après, elle nous a laissés partir.

41

On s'est postés devant l'entrée de la clinique pour guetter l'arrivée de tata Mona. Après s'être assurés que personne ne nous observait, on s'est mis à courir. Quoi : moi, je me suis mis à courir ; Tschick pas vraiment. Y avait une petite barrière devant le champ. Tschick a jeté les béquilles de l'autre côté, et puis il s'est jeté lui-même. Mais après avoir fait quelques mètres, il est resté tanqué : le champ venait d'être labouré, les béquilles s'y enlisaient comme des nouilles chaudes dans du beurre. Ça allait pas le faire. Il a pesté un bon coup, puis il a laissé tomber ses béquilles et a continué sur une jambe en s'appuyant sur mon épaule. On s'est retournés après avoir parcouru un bon tiers du champ. Le paysage qu'on laissait derrière nous était bleu. Le soleil, encore caché derrière la clinique, envoyait sa lumière à travers la brume et la cime des arbres. Les béquilles étaient plantées sur le bord du champ ; comme l'une d'entre elles s'était légèrement affaissée, on aurait dit une croix miséricordieuse. Au dernier étage de la clinique, une silhouette blanche se dessinait à la fenêtre (peut-être celle d'où on avait vu la grue de la fourrière). Elle nous regardait nous éloigner. Probable que c'était l'infirmière qu'était en train de se demander quelle espèce de barjos elle venait de traiter là. Si elle avait su à quel point on était barges, sûr qu'elle aurait eu la pose moins tranquille.

En tous les cas, c'est clair qu'elle a vu où on se dirigeait. Et qu'elle nous a vus arriver à la Lada. Le toit et le côté droit étaient assez cabossés, mais on pouvait toujours s'asseoir normalement à l'intérieur. On n'arrivait plus à ouvrir la portière passager, mais on pouvait toujours monter côté conducteur. À l'intérieur en revanche, ça ressemblait pas mal à une décharge. Entre l'accident, les tonneaux et le redressement, toutes nos provisions, boîtes de conserve, bidons, papiers, bouteilles vides et sacs de couchage avaient valdingué dans la bagnole. Même la cassette de Clayderman faisait du sport entre les sièges. Le capot était légèrement tordu. Une croûte de sable maculée d'huile collait aux endroits où la Lada avait été sur le toit.

– Finito, terminus, j'ai dit.

Tschick s'est pressé tant bien que mal sur le siège conducteur. Mais il a pas réussi à mettre le plâtre sur l'accélérateur. Trop large. Alors il s'est remis au point mort et a assemblé les câbles, puis s'est un peu contorsionné sur le siège pour tapoter l'accélérateur de la pointe de son pied gauche. La Lada a démarré au quart de tour. Tschick s'est alors glissé sur le siège passager.

– T'es vraiment jeté, j'ai dit.

– T'as juste à accélérer et à tourner le volant, il a rétorqué. Moi je passe les vitesses.

Je me suis mis au volant. Et j'ai expliqué à Tschick que ça allait pas le faire. Le réservoir était à moitié plein, le moteur au ralenti. Mais il suffisait de jeter un œil à l'autoroute et à la manière dont les voitures y déboulaient à deux cents pour savoir que ça allait pas le faire.

– Il faut que je t'avoue un truc, j'ai dit, je suis le type le plus lâche qui se balade sous le soleil. Le plus chiant et le plus lâche. Et maintenant on va gentiment continuer à pied. Sur un champ, je dis pas. Peut-être. Mais sur l'autoroute, no way.

– Qu'est-ce que tu parles de chiant ? a demandé Tschick.

Et moi, je lui ai demandé s'il savait, en fait, pourquoi je voulais aller avec lui en Valachie, dans le fond. Parce que j'étais le plus chiant de la création, justement, tellement chiant que j'avais même pas été invité à une soirée à laquelle tout le monde était invité, et parce que je voulais au moins une fois dans ma vie ne pas être chiant. Et Tschick a expliqué que ça allait pas bien la tête, que lui, depuis qu'il me connaissait, il s'était pas fait chier une seule seconde, qu'au contraire ç'avait été la semaine la plus passionnante et la plus géniale de toute sa vie ; et du coup, on a discuté de la semaine la plus passionnante et la plus géniale de toute notre vie, et on pouvait pas supporter qu'elle soit déjà finie.

Et puis Tschick m'a longuement regardé.

– Faut pas croire que Tatiana t'a pas invité parce que t'es soi-disant chiant, ou parce qu'elle t'aime pas à cause de ça. Les filles t'aiment pas parce que tu leur fais peur. Si tu veux mon avis. Parce que tu les ignores. Parce que t'as pas la bisounours-attitude de ce crétin de Langin. Mais t'es pas chiant, abruti. Isa, elle t'a tout de suite bien aimé. Parce qu'elle est pas aussi con qu'elle en a l'air, en l'occurrence. Et parce qu'elle a des arguments, elle – si tu vois ce que je veux dire. À l'inverse de cette super cruche de Tatiana.

J'hallucinais. Je devais avoir une tronche de carpe.

– D'accord, d'accord, t'es amoureux d'elle. Et c'est vrai que c'est une bombe. Mais sérieux – en comparaison d'Isa, c'est vraiment une cruche. Et je peux en juger, contrairement à toi. Parce que : tu veux que moi aussi je t'avoue quelque chose ?

Il a dégluti en faisant une tronche genre on m'a foutu une balle dans le gosier. Et puis plus rien pendant cinq minutes. Ensuite, il a dit qu'il pouvait en juger parce que ça l'intéressait pas. Les filles.

Nouveau long silence. Et puis : qu'il l'avait encore jamais dit à personne, et que maintenant voilà, il me l'avait dit, mais que j'avais pas à m'inquiéter, qu'il voulait rien de moi, parce qu'il savait bien que moi c'était les filles et tout le bazar, mais pour lui c'était pas le cas, et il y pouvait rien.

Et maintenant, pensez-en ce que vous voulez – mais en fait j'étais pas hyper étonné. Vraiment, j'étais pas hyper étonné. Je le savais pas, mais j'en avais eu l'intuition. Sérieux. Déjà la première fois qu'on a pris la Lada et qu'il avait parlé de son oncle de Moscou, et puis l'histoire de la veste avec le dragon, et puis comme il avait traité Isa – je l'avais pas su exactement, bien sûr. Mais après coup, j'ai eu l'impression que j'avais eu comme une intuition.

La tête de Tschick s'était affaissée sur le tableau de bord. J'ai posé ma main sur sa nuque. Et on était assis là, à écouter « Ballade pour Adeline ». L'espace d'un instant, j'ai pensé à devenir homo, moi aussi. Ç'aurait été la solution à tous les problèmes. Mais j'y arrivais pas. J'avais beau aimer Tschick de tout mon cœur, je préférais les filles, quelque part.

Et puis j'ai mis la première et j'ai démarré. Ç'avait été tellement triste de passer la nuit dans cet hosto et de penser que tout était fini ; c'en était d'autant plus fantastique maintenant de regarder le paysage par la vitre de la Lada, le volant en main. J'ai fait un tour d'essai sur le parking. Ce qui me causait toujours le plus de difficultés, c'était de débrayer et de passer les vitesses ; mais quand Tschick s'occupait du boîtier de vitesses et que j'avais juste à appuyer sur l'embrayage quand il me le disait, ça allait. Et du coup, on a fait une fougueuse entrée sur l'autoroute. On a roulé avec fougue sur la bande d'arrêt d'urgence avant de s'y immobiliser.

– Calmement, a dit Tschick, calmement. On recommence.

On a attendu que la circulation soit un peu moins dense. En gros, j'ai attendu qu'y ait plus aucune voiture jusqu'à l'horizon avant de redémarrer et d'accélérer.

– Embraye ! a crié Tschick.

J'ai appuyé sur la pédale, et il est passé en seconde. J'étais en nage.

– La voie est libre, mets-toi en cinquième !

Tschick a passé la troisième, puis la quatrième. Mon angoisse est lentement retombée.

J'ai encore sursauté quand la première Audi un peu dodue nous a grattés à cinq cents kilomètres à l'heure, mais après je me suis calmé. Dans le fond, c'est bien plus facile de conduire sur l'autoroute que de prendre les virages, freiner, embrayer, accélérer. J'avais une voie pour moi tout seul, j'avais plus qu'à aller tout droit. Je voyais les lignes blanches foncer sur moi, comme dans la Play-Station ; mais ça a effectivement une tout autre gueule en vrai, quand on est dans une vraie bagnole sur un vrai siège conducteur – là, aucune carte graphique ne fait le poids. La sueur coulait à flots, mon dos collait au siège. Tschick m'a encore flanqué un petit morceau de bande adhésive noire au-dessus de la lèvre, et puis on a roulé, roulé, roulé.

Clayderman a taquiné son piano encore un coup. Et son pling-pling ajouté au toit cabossé, au pied fada de Tschick, et au fait qu'on se baladait à cent kilomètres à l'heure dans une poubelle, ça a fait monter en moi un étrange sentiment, un sentiment d'euphorie, un sentiment d'invincibilité. Aucun accident, aucune administration, aucune loi physique ne pouvaient nous arrêter. C'était le grand voyage, ce serait toujours le grand voyage ; et d'enthousiasme, on fredonnait de concert avec Clayderman – pour autant qu'on puisse fredonner pareil pling-pling.

42

On a roulé sur l'autoroute jusqu'à la tombée de la nuit. Quand on l'a quittée, on s'est de nouveau retrouvés quelque part dans la cambrousse. Je roulais en troisième à travers champs. Tout était calme. Le soir était calme, et les champs passaient du jaune au vert puis au brun, perdant toujours plus de leur éclat. Tschick avait passé son coude par la fenêtre et posé sa tête dessus ; moi aussi j'avais passé mon bras gauche par la fenêtre, comme on fait en bateau lorsqu'on laisse glisser ses doigts dans l'eau. Des rameaux d'arbres et de buissons frôlaient ma main ; de l'autre, je conduisais la Lada à travers le paysage nocturne.

La dernière lueur a disparu à l'horizon. Une nuit sans lune se levait. Je me suis souvenu de la première fois où j'ai vu la nuit, ou disons de la première fois où j'ai pris conscience de ce qu'était la nuit. De ce qu'elle signifiait. J'avais huit ou neuf ans. Et c'est à M. Klever que je dois cette expérience. M. Klever habitait l'immeuble d'en face.

On était encore en location dans l'appartement. Au bout de notre rue s'étendait un champ d'orge dans lequel on jouait, Maria et moi, à la tombée du jour. Maria, c'était ma copine. On s'amusait à crapahuter dans le champ en formant des chemins et un labyrinthe géant. Et puis une fois, Klever s'est ramené. C'était le genre de vieux toujours flanqué de son teckel et muni de sa lampe de poche. Il habitait au troisième étage et passait son temps à nous crier après, car il détestait les enfants de tout son cœur. Cette fois-là, il était en train de promener son teckel quand il s'est mis à éclairer les champs de sa lampe de poche et à hurler qu'on voulait la ruine du fermier, qu'il fallait qu'on sorte de là immédiatement, qu'il allait appeler la police et nous dénoncer, que ça coûterait des milliers d'euros. Encore une fois : on n'avait que huit ans ; on savait pas encore reconnaître un simple braiment de retraité. On est sortis du champ en courant, épouvantés. Maria était intelligente, et elle est allée vers notre immeuble, mais moi, comme un idiot, j'ai d'abord foncé de l'autre côté. Et là, le vieux m'a barré la route avec son teckel. Il a pas arrêté de gesticuler avec sa lampe de poche et de hurler, comme quoi je devais lui dire mon nom pour qu'il puisse me signaler aux flics. Comme il partait pas, j'ai fini par m'enfuir dans l'autre direction.

J'ai refilé à travers champs avant d'entrer dans le quartier de Hogenkamp. J'espérais ainsi contourner l'ensemble du pâté de maisons ; j'avais souvent pris ce chemin en plein jour et je le connaissais bien. Mais de nuit, le Hogen-kamp était sombre et recouvert de buissons. Derrière, y avait le terrain de jeux, où on allait jamais parce qu'y avait toujours des grands. Mais là, de nuit, y avait bien sûr personne. L'immense poulie était libre. C'était tout bizarre, comme impression : j'avais tout pour moi, j'aurais pu faire ce que je voulais, mais j'ai passé mon chemin dare-dare. Je n'ai croisé personne de tout le trajet. Le long des maisonnettes, des lumières brillaient aux portes. Mais j'ai continué mon sprint dans la rue Löns. Là encore, personne. C'était un énorme détour que je faisais là, au moins quatre kilomètres, mais à l'époque je courais comme un champion du monde. Et puis d'un coup, ça a commencé à bien me plaire, de courir dans la pénombre déserte. Je savais plus du tout si j'avais encore peur ou non. Toujours est-il, j'avais oublié Klever.

Bien sûr que j'avais déjà été dehors de nuit, mais c'était pas pareil. J'avais toujours été avec mes parents, genre on rentre de chez des amis en voiture. Là, c'était un monde complètement nouveau, un autre monde que le jour. Comme si j'avais découvert l'Amérique.

J'avais encore rencontré personne jusque-là, quand deux femmes ont brusquement surgi devant moi. Elles étaient assises sur les marches du restau chinois. Je ne comprenais pas ce qu'elles foutaient là. L'une d'elles gémissait :

– Je ne rentre pas ! Je ne rentre plus !

L'autre essayait en vain de la consoler. Au-dessus d'elles, les caractères chinois rouges et or brillaient dans la nuit. Des arbres denses plongeaient l'immeuble dans l'obscurité. Et voilà que devant elles passe un gamin de huit ans qui fait son jogging. J'étais complètement décontenancé. Probable que les femmes l'étaient aussi et se demandaient comment ça se faisait qu'un gamin de huit ans fasse un jogging en pleine nuit. L'espace d'un instant, nos regards se sont croisés, entre gémissements et course. Je sais pas pourquoi ça m'a fait un tel effet. Mais j'avais encore jamais vu de femme en train de pleurer. Ça m'a vachement travaillé à l'époque.

Et là, c'est une nuit du même genre.

La tête posée de côté, je regarde au-dehors. La Lada glisse sans bruit sur la route sinueuse qui traverse les champs bleus et verts de l'été. À un moment, je veux m'arrêter, et je m'arrête. La pénombre enveloppe la campagne, les prés et les chemins. On est devant un grand plateau sur lequel se détachent les contours d'une ferme. Et au moment où je vais dire quelque chose, une lumière verte s'allume à l'une des petites fenêtres de la ferme. Alors je me tais. Je peux plus parler. Jusqu'à ce que Tschick me passe son bras autour du cou.

– Faut qu'on y aille.

Alors, on remonte dans la voiture et on poursuit notre route.

43

Le jour suivant, on était de nouveau sur l'autoroute. On s'est fait doubler par un énorme camion ; le truc, on aurait dit un assemblage de cages à cochons. Avec quelques roues en dessous, une cabine de conducteur toute rouillée, et une plaque d'immatriculation de je ne sais où. D'Albanie peut-être ? En y regardant mieux, les cages à cochons étaient vraiment des cages à cochons. Elles s'empilaient à l'horizontale et à la verticale. Et de chaque cage sortait une tronche de cochon.

– Quelle vie de merde, a dit Tschick.

Comme ça montait légèrement, il a fallu une demi-heure au camion pour nous doubler. Au moment où on a enfin vu ses roues arrière, il a de nouveau décéléré. Un peu plus tard, la cabine rouillée est réapparue sur notre gauche. Quelqu'un descendait la vitre côté passager.

– Il t'a vu ? a demandé Tschick. Ou est-ce qu'il mate notre toit cabossé ?

J'ai ralenti pour le laisser doubler. Le camion a mis son cligno, et s'est rangé sur la file de droite, en freinant devant nous.

– Mais c'est qui cet abruti ? a dit Tschick.

On ne roulait plus qu'à soixante, max. Cinquante-cinq.

– Ben double-le, alors.

J'ai déboîté sur la file de gauche. Devant nous, le camion a aussi changé de file.

– Du coup, double-le à droite.

Je me suis remis à droite. Le camion s'est stabilisé au milieu. Je sais toujours pas aujourd'hui si le type voulait vraiment nous faire des queues de poisson ou s'il était juste à l'ouest. Tschick m'a dit d'attendre qu'une autre voiture arrive pour la serrer et passer en même temps qu'elle. Mais y avait aucune voiture à l'horizon. L'autoroute était déserte comme jamais.

– Et si je prenais la bande d'arrêt d'urgence ?

– Avec de l'élan peut-être, a répondu Tschick. Tu te sens ? Faut que t'embrayes.

On l'a laissé prendre de la distance, j'ai embrayé et Tschick est repassé en troisième. Le moteur a chialé.

– Et maintenant, accélère plein pot. Ça va déchirer. Comme une fusée.

Fusée, c'était pas tout à fait ça. Ou alors c'était une fusée très nonchalante. Entre-temps, on était de nouveau à cent cinquante ou deux cents mètres derrière le camion. J'avais beau appuyer à fond sur l'accélérateur, il nous a fallu une bonne minute pour remonter à sa hauteur. L'aiguille du compteur de vitesse s'est lentement mise à trembler sur sa droite. En guise de camouflage, je suis resté derrière le camion, qui zigzaguait légèrement. Je savais pas si je devais le doubler par la droite ou par la gauche.

– Fais des zigzags comme lui, a dit Tschick. Et au dernier moment, hop !

J'avais toujours mon pied à fond sur l'accélérateur. Faut que je précise qu'à ce moment-là, j'étais pas foncièrement paniqué. Conduire en zigzag, je connaissais de la PlayStation. Limite ça me paraissait plus naturel que de conduire tout droit. Et le transporteur de cochons se comportait comme un obstacle classique. Je fonçais donc droit sur l'obstacle pour déboîter au dernier moment sur la bande d'arrêt d'urgence. Et je crois que c'est exactement ce que j'aurais fait si y avait pas eu Tschick. Si Tschick avait pas été là, j'aurais pas survécu.

– FREINE ! a-t-il crié tout à coup, FREEEEIIIIINE !!!

Mon pied a freiné bien longtemps avant que je n'entende le cri et que je le comprenne. Le pied a freiné de lui-même, parce que jusque-là j'avais toujours fait ce que Tschick me disait de faire ; donc, comme il m'avait crié : « Freine ! », je freinais. Sans savoir pourquoi.

Car à vrai dire, y avait apparemment aucune raison de freiner : entre le camion et la glissière de sécurité, y aurait eu de la place pour cinq bagnoles au moins. Mais le truc que j'aurais sans doute capté qu'au moment de me présenter à saint Pierre, c'est que le camion n'avait pas à proprement parler *libéré* ce côté de l'autoroute : il avait glissé. L'arrière du camion avait patiné vers la gauche, et bien qu'on roulât juste derrière, j'ai vu tout à coup, directement devant moi, la cabine du conducteur se balader au milieu de l'autoroute – doublée sur sa gauche par l'arrière du véhicule. Le camion s'est transformé en barrière. Et cette barrière a glissé devant nous sur toute la largeur de la route. Et nous dans la foulée. C'était tellement inhabituel, comme spectacle, que j'aurais dit après coup qu'il a duré plusieurs minutes. En réalité, Tschick n'a même pas eu le temps de crier « Freine ! » une troisième fois.

La Lada s'est légèrement tournée. La barrière devant nous a penché vers l'arrière d'un air hésitant avant de basculer avec fracas et de nous présenter douze roues en rotation. À trente mètres de distance. On a glissé vers elles sans un bruit. J'ai pensé : Voilà, on va donc mourir. J'ai pensé : Maintenant, je ne reviendrai plus jamais à Berlin, je ne verrai plus jamais Tatiana, je ne saurai jamais si mon dessin lui a plu ou pas. J'ai pensé : J'aurais dû m'excuser auprès de mes parents. Et je me suis dit : Merde, j'ai pas sauvegardé.

J'ai aussi pensé : Je devrais dire à Tschick que pour lui, je serais presque devenu homo. J'ai pensé : À mourir pour mourir, pourquoi pas maintenant.

Et c'est ainsi qu'on a glissé vers le camion. Mais il s'est rien passé. Y a pas eu de clash. Dans mon souvenir, y a pas eu de clash. Pourtant il a bien dû y en avoir un, vu qu'on a percuté le camion de plein fouet.

44

Pendant un moment, j'ai rien senti. Puis j'ai fini par m'apercevoir que je suffoquais : la ceinture de sécurité me coupait en deux, et ma tête reposait presque sur l'accélérateur. Le plâtre de Tschick traînait par là lui aussi. Je me suis redressé. Ou du moins j'ai tourné la tête. Une roue du camion pendouillait au-dessus du pare-brise fendu, assombrissant le ciel. Elle tournait encore en silence. Sur le moyeu était collé un macaron crasseux représentant un éclair rouge sur fond jaune. Une motte de crasse tanguait depuis l'essieu ; elle s'est lentement détachée pour s'écrabouiller mollement sur le pare-brise.

– On va peut-être passer à autre chose, a dit Tschick.

Il avait donc survécu lui aussi.

Soudain, une salve d'applaudissements a déferlé. Un vacarme comme si une énorme foule criait, beuglait, sifflait, battait des pieds. À vrai dire, je n'estimais pas l'avoir usurpée, car pour un conducteur amateur, ma performance en termes de freinage avait été une performance de toute première classe. C'était du moins mon opinion sur le sujet, et ça ne m'étonnait pas qu'elle soit partagée. Juste : y avait pas de public.

– Ça va ? m'a demandé Tschick en secouant mon bras.

– Oui. Et toi ?

Côté passager, la carlingue s'était enfoncée de vingt centimètres vers l'intérieur, de manière très régulière soit dit en passant. Les sièges et le sol étaient jonchés de débris de verre.

– Je crois que je me suis coupé.

Sa main était en sang. Des grognements ont commencé à se faire entendre dans le public.

Je me suis libéré de la ceinture, et j'ai basculé sur le côté. Manifestement, la voiture était de traviole ; j'ai dû passer par la fenêtre latérale. Et là, sur la route, j'ai immédiatement trébuché sur un truc. Je me suis relevé. Et suis retombé. J'ai atterri dans une boue de sang. Un cochon mort. Une Opel Astra avait freiné quelques mètres derrière nous. À l'intérieur, un homme et une femme avaient leur index résolument appuyé sur les commandes de ferme-ture des portières. Je me suis assis sur leur capot, et je me suis agrippé à l'antenne. J'arrivais plus à me relever. Que c'était bon, cette antenne dans la main... Je ne voulais plus jamais la lâcher, de toute ma vie.

– Ça va ? m'a redemandé Tschick.

Il était sorti de la voiture à ma suite.

À cet instant, un cochon au galop est apparu de derrière le camion, suivi par la foule de ses comparses. En sang, il a traversé l'autoroute et foncé vers un talus. Certains lui ont emboîté le pas, mais la plupart sont restés immobiles, au beau milieu des morts et des cages renversées, grognant de désespoir. C'est alors que j'ai vu les flics apparaître à l'horizon. J'ai d'abord songé à m'enfuir, mais je savais que ça n'avait aucun sens. Les deux dernières images qui me sont restées en mémoire, c'est Tschick qui dévale le talus en boitant, et le flic de l'autoroute qui se tient près de moi l'air aimable, et qui me libère de l'antenne en me disant :

– Elle va s'en sortir sans toi.

Le reste, je l'ai déjà raconté.

45

– Il ne comprend pas.

Mon père s'est tourné vers ma mère.

– Il ne comprend pas. Il est trop con !

On était assis face à face, tête contre tête, ses genoux pressant les miens. À chacun de ses mots, je sentais l'odeur de son eau de rasage. Aramis. Cadeau de ma mère pour son cent soixante-dixième anniversaire.

– T'as complètement déconné, c'est clair dans ta tête ?

J'ai pas répondu. Qu'est-ce que j'aurais pu dire ? C'est clair que c'était clair. En plus, il le disait pas pour la première fois, mais pour la deux cent cinquantième fois ce jour-là. Et je voyais pas bien ce qu'il attendait de moi.

Il a regardé ma mère. Ma mère a toussoté.

– Je crois qu'il comprend, a-t-elle dit.

Elle touillait son Amaretto avec une paille. Mon père m'a pris par les épaules et m'a secoué.

– Tu sais de quoi je parle ?! T'as intérêt à répondre !

– Qu'est-ce que tu veux que je te dise ? J'ai déjà dit oui. Oui, c'est clair. J'ai compris.

– T'as rien compris du tout ! C'est pas clair du tout ! Il croit qu'il suffit de le dire ! Quel idiot !

– Je ne suis pas idiot juste parce que…

Et paf, il m'en flanque une.

– Josef, laisse-le.

Ma mère a tenté de se lever, mais elle a perdu l'équilibre et s'est effondrée dans son fauteuil, à côté de la bouteille d'Amaretto.

Mon père s'est penché tout contre moi, tremblant de rage. Il a croisé les bras. J'ai essayé de prendre une pose de pénitence, genre je suis plein de remords, parce que je savais que c'était ce qu'il attendait de moi. Et je savais bien que quand il croisait les bras, c'était signe qu'il était à deux doigts de m'en refoutre une. Jusque-là, j'avais toujours dit ce que je pensais. Je voulais pas mentir. Cet air de pénitence, c'était le premier mensonge que je m'accordais – histoire d'abréger l'affaire.

– Je sais qu'on a foutu la merde, je sais que…

Mon père a levé le bras, j'ai rentré ma tête dans les épaules. Mais il s'est contenté de hurler :

– Non, non, et non ! C'est pas *vous* qui avez foutu la merde, abruti ! C'est ton zonard de Russe qui a foutu la merde ! Et toi, t'as été trop con pour te laisser entraîner ! T'es trop stupide pour savoir régler le rétro dans notre voiture !

J'étais super énervé. Je lui avais déjà expliqué au moins cent cinquante fois comment ça s'était vraiment passé, mais il voulait rien savoir.

– Tu te crois seul au monde peut-être ? Tu t'imagines pas que ça puisse nous retomber dessus ? Qu'est-ce que tu crois, dans quelle merde je suis, moi ? Comment je vends des maisons aux gens si mon fils pique leurs bagnoles ?

– De toute façon, tu n'en vends plus, des maisons. Ton entreprise a fait…

Paf, en pleine poire. J'en suis tombé à terre. Vieille canaille. À l'école, ils disent toujours : la violence, c'est pas la solution. Solution mon cul. Quand on s'en prend une en pleine gueule, on sait que c'est définitivement une solution.

Ma mère a poussé un cri. Je me suis redressé. Mon père a regardé ma mère, puis il a détourné la tête.

– OK. Très bien. Peu importe, d'ailleurs. Assieds-toi. J'ai dit : Assieds-toi, espèce d'abruti. Et maintenant écoute-moi bien. T'as de bonnes chances de t'en sortir, je le sais de Schuback. Sauf si tu fais ton mariole comme maintenant et que tu te mets à raconter au juge que tu sais bien court-circuiter les bagnoles, avec le trente sur le cinquante et you-plaboum. Ce qu'ils aiment bien faire, les types de l'assistance sociale, c'est arrêter les poursuites contre l'un pour qu'il témoigne contre l'autre. Et t'es clairement celui contre qui on va arrêter les poursuites, sauf si t'es trop con. Mets-toi bien ça dans la tête : ton cas social, il est pas con, lui.

Il sait ces choses-là. Il a une vraie carrière criminelle der-rière lui, vol à l'étalage avec son frère, resquillage, arnaque et recel. Ça t'étonne, hein ? Toute la racaille est comme ça. Il te l'a pas raconté, ça, hein ? Et il ne peut pas non plus se targuer de venir d'une bonne famille. Il vit dans la merde. Dans une merde de sept mètres carrés. Comme il le mérite. Il peut s'estimer heureux d'être envoyé dans un foyer. Mais Schuback affirme qu'ils peuvent aussi le reconduire. Et demain, il va essayer de sauver sa peau à n'importe quel prix – c'est clair, dans ta tête ? Il a déjà fait sa déposition. Il te rend responsable de tout. C'est toujours comme ça, dans la vie, n'importe quel idiot rend l'autre responsable.

– Et du coup je dois faire pareil ?

– Tu ne dois pas, tu *vas* faire pareil. Parce que toi, ils te croient. Tu comprends ? Tu peux t'estimer content que le type de l'assistance judiciaire aux mineurs ait été emballé, en venant ici. Quand il a vu la maison. Tu parles, la piscine et tout ! Il a compris que c'était un foyer avec les meil-leures conditions et tout le tralala.

Mon père s'est tourné vers ma mère qui patouillait dans son verre.

– Tu t'es laissé entraîner par ce Russe. Et c'est ce que tu vas dire au juge, peu importe ce que t'as raconté à la police avant. *Capisci ? Capisci ?*

– Je dirai au juge ce qui s'est passé.

Mon père m'a fixé pendant environ quatre secondes. Le temps pour moi de voir les éclairs dans ses yeux. Puis j'ai plus rien vu. Les coups ont plu de partout, je suis tombé de ma chaise et me suis tortillé sur le sol, les avant-bras pressés contre mon visage. J'ai entendu ma mère crier « Josef ! » et tituber. À la fin, allongé par terre, j'ai vu entre mes bras la fenêtre de la terrasse. Je sentais encore les coups de pied, mais y en avait de moins en moins. Mon dos me faisait mal. Je voyais le bleu du ciel surplombant le jardin, le parasol s'agitant au vent au-dessus du transat solitaire. À côté, un jeune homme brun repêchait les feuilles de la piscine avec une épuisette. L'Indien, qu'ils avaient réengagé. Ma mère sanglotait.

– Mon Dieu ! Mon Dieu !

J'ai passé le restant de la journée dans mon lit. Allongé sur le côté, je trifouillais le store qui se berçait dans le soleil de l'après-midi. Ce store, il était vieux comme le monde, j'ai réalisé pour la première fois. Je l'avais déjà quand j'avais trois ans.

J'entendais les voix de mes parents depuis le jardin. L'Indien s'en prenait lui aussi plein la tronche, probablement qu'il avait oublié d'enlever une pauvre feuille dans la piscine. C'était la journée « j'engueule tout le monde » pour mon père. Plus tard, j'ai entendu les oiseaux gazouiller dans le jardin. Puis ce fut le crépuscule, et tout redevint calme.

J'étais toujours là, allongé, examinant le store tandis que le ciel s'assombrissait. Je me demandais combien de temps ça allait encore durer. Combien de temps je pourrais encore rester allongé là. Combien de temps on allait encore vivre dans cette maison. Combien de temps mes parents allaient encore rester ensemble.

Et j'avais hâte de revoir Tschick. C'était la seule chose qui me faisait plaisir. Je l'avais pas revu depuis notre accident sur l'autoroute, et c'était quatre semaines auparavant, mine de rien. Je savais qu'ils l'avaient envoyé dans un foyer, mais c'était un foyer où les gens étaient coupés du monde, dans un premier temps. Tschick pouvait même pas recevoir de lettre.

46

Et puis y a eu l'audience. J'étais hyper nerveux – quel scoop. Rien que les salles du tribunal foutaient les jetons. Y avait des escaliers énormes, des colonnes, des statues aux murs. On aurait dit une église. Et puis des trucs qu'ils montrent pas, à la télé. Genre qu'on te fait d'abord poireauter des heures dans un couloir que tu te croirais à ton enterrement. C'est ça que je me suis dit. Et aussi que je volerai plus jamais de chewing-gums de toute ma vie.

Quand je suis rentré dans la salle d'audience, le juge était déjà derrière son pupitre, vêtu d'une espèce de poncho noir. Il m'a montré la petite table où je devais m'asseoir, un pupitre comme à l'école. À sa droite y avait une femme qui passait son temps à surfer sur Internet. Du moins c'est l'impression qu'elle donnait. Parfois elle tapotait un truc sur son clavier, mais le reste du temps elle levait pas la tête de son ordi. À gauche du juge, un autre type en poncho. Le procureur, à ce qu'on m'a dit. Être habillé en noir, ça a l'air d'un truc important, pour les tribunaux ; en dehors de la salle aussi, y avait des tas de types qui se baladaient comme ça. J'ai pensé aux blouses blanches de l'hôpital et à Hanna, l'infirmière. J'étais soulagé ; au moins, on voit pas les dessous, quand les gens sont habillés en noir.

Tschick est arrivé une minute après, accompagné d'un type du foyer. On est tombés dans les bras l'un de l'autre, sans que personne n'y trouve à redire. On nous a pas laissés papoter des heures non plus. Le juge a immédiatement commencé, nom, prénom, adresse, tout le tralala, et pareil pour Tschick. Et puis il nous a reposé les mêmes questions que les flics. Je sais pas pourquoi, d'ailleurs. Il connaissait déjà les réponses des dossiers. Quant au déroulement des faits, c'était quand même assez clair. J'ai juste dit la vérité, grosso modo, comme je l'avais déjà fait au commissariat – enfin, à quelques petits détails près. Genre j'ai pas dit qu'on avait donné le nom d'André Langin à l'hosto et toutes ces conneries. Ça, on pouvait de toute façon le laisser tranquillou aux oubliettes, on s'en foutait royalement. Ce qui l'intéressait à fond, le juge, c'était de savoir *quand* on avait pris la Lada la première fois, *où* on était allés avec, et *pourquoi* on l'avait fait. Et ça, c'était la question la plus balèze : pourquoi ? Déjà les flics avaient vachement insisté sur cette question, et voilà que le juge s'y mettait aussi. Je savais vraiment pas quoi lui dire. Heureusement qu'il nous a lui-même proposé des réponses. Genre si on avait juste trouvé ça *fun*. *Fun*. Bon, on va dire *fun*, ça me paraissait la réponse la plus probable, même si je l'aurais pas formulé comme ça. De toute façon, j'aurais difficilement pu dire ce que je voulais foutre en Valachie. Aucune idée. Et j'étais pas convaincu que ça allait le passionner, le juge, mon histoire avec Tatiana Cosic. Que j'avais fait ce super dessin pour elle. Que j'avais super peur d'être le mec le plus chiant sous le soleil. Que je voulais ne pas être lâche au moins une fois dans ma vie. Alors j'ai dit que le coup de trouver ça *fun*, c'était à peu près ça.

En y réfléchissant, y a quand même un point où on a menti : l'histoire avec l'orthophoniste. Je voulais pas que l'orthophoniste ait des problèmes par notre faute, parce qu'elle avait été vachement sympa avec nous. Du coup, elle et son extincteur, je les ai jamais mentionnés. J'ai juste raconté au juge ce que j'avais déjà raconté aux flics, à savoir que Tschick s'était cassé le pied quand on a fait les cinq tonneaux, et qu'après on avait traversé les champs tout droit jusqu'à l'hosto, à pied, et y avait pas d'orthophoniste, rien du tout.

Un mensonge tout à fait potable, en somme. Mais au moment même où j'ai raconté ça aux flics de l'autoroute, j'ai réalisé que ça allait pas tenir la route longtemps, parce que Tschick allait leur dire tout autre chose s'ils lui demandaient. Et ils allaient lui demander, pour sûr. Mais en fait, bizarrement, ça a super bien marché, parce que Tschick voulait pas non plus entraîner l'orthophoniste là-dedans, et comme c'était le scénario le plus logique, il en est venu à la même solution : pied cassé pendant les tonneaux, tra-versée des champs clopin-clopant, avec l'hôpital en ligne de mire. Personne a remarqué que c'était logiquement pas trop possible, notre histoire. Ben non : quand on est dans une pampa où on a encore jamais mis les pieds, qu'on a un accident et qu'on se retrouve au beau milieu des champs, avec trois pauvres arbres et deux immeubles à l'horizon, comment est-on censés savoir que l'énorme cube blanc vers lequel on clopine avec détermination, c'est un hôpital ?

Mais bon, encore une fois : le juge s'intéressait complè-tement à tout autre chose.

– Ce qui m'intéresserait, c'est de savoir qui d'entre vous a eu le premier l'idée de ce voyage ?

La question s'adressait à moi.

– Ben, le Russe, qui d'autre ! a répondu mon père à mi-voix.

Pauvre con.

– La question s'adresse à l'accusé ! a répliqué le juge. Si je voulais avoir votre avis sur la question, je vous le demanderais.

– Nous avons eu l'idée, j'ai dit. Tous les deux.

– N'importe quoi ! a lancé Tschick.

– On voulait juste faire un petit tour, j'ai repris, partir en vacances comme tout le monde…

– N'importe quoi ! a répété Tschick.

– Ce n'est pas à toi de répondre, a dit le juge. Attends ton tour.

Pour ça, il était inébranlable, le juge. Y a que celui dont c'est le tour qu'a le droit de parler. Et quand ç'a été le tour de Tschick, il a tout de suite commencé d'expliquer que c'était son idée, cette histoire de Valachie, qu'il avait même dû me traîner jusqu'à la voiture. Et puis il a raconté d'où il savait court-circuiter les bagnoles, alors que moi j'en avais évidemment aucune idée, je savais même pas faire la différence entre le frein et l'accélérateur. Bref, il a raconté n'importe quoi, et j'ai dit au juge que c'était du grand n'importe quoi, et là le juge m'a dit que c'était pas mon tour, et mon père a gémi en arrière-plan.

Et quand on a suffisamment parlé bagnoles, la pire partie de l'audience a commencé : ils se sont mis à parler de nous. Le type du foyer a fait une dissert sur les origines de Tschick ; il en parlait comme s'il était pas là, expliquant que sa famille était une genre de merde sociale – même s'il a utilisé d'autres mots. Alors le type de l'assistance judiciaire, celui qui nous avait rendu visite à la maison, a lui aussi fait sa dissert sur ma famille bourrée de fric, comme quoi j'étais négligé et abandonné et comme quoi ma famille était aussi une sorte de merde sociale. Et quand le verdict est tombé, j'ai été surpris de ne pas être enfermé à vie. Au contraire : le verdict n'aurait pas pu être plus soft. Tschick devait rester dans le foyer où il était de toute façon déjà, et à moi, on m'a donné « l'instruction impérative de travaux obligatoires ». Sérieux, c'est vraiment ça qu'il a dit, le juge. Heureusement qu'il a expliqué ce qu'il entendait par là, à savoir torcher le cul à des mongols pendant trente heures. À la fin, il a fait un sermon moral qui a duré trois plombes, mais c'était un sermon tout à fait potable. Pas comme mon père ou à l'école. Plutôt des trucs où on se dit : C'est une question de vie et de mort. J'ai écouté attentivement parce que j'avais l'impression que ce juge, c'était pas une burne de l'espace. Bien au contraire. Il avait l'air plutôt raisonnable. Et il s'appelait Burgmüller, au cas où ça intéresserait quelqu'un.

47

Et puis l'été s'est terminé. L'école a recommencé. À la place de 4e C, y avait écrit 3e C à la porte de notre classe. À part ça, rien de nouveau sous le soleil. On était toujours aux mêmes places. Sauf que plus personne n'était assis à la table du fond. Pas de Tschick.

Premier jour de la rentrée, huit heures : Wagenbach. J'avais une minute de retard, mais pour une fois, je m'en suis pas pris plein la gueule. Je boitais encore un peu, j'avais des égratignures sur le visage et un peu partout. Wagenbach a froncé un sourcil, puis il a inscrit le mot *Bismarck* sur le tableau.

– L'élève Tschichatschow ne viendra pas en cours aujourd'hui, a-t-il lancé au passage.

Pourquoi, il savait pas, du moins il l'a pas dit. Je crois qu'il savait pas.

De voir cette place vide, ça me rendait tout triste. Et je suis devenu encore plus triste en découvrant Tatiana toute bronzée. Elle mâchouillait un crayon et écoutait Wagenbach. J'arrivais pas à déterminer si elle était la fière propriétaire d'un Beyoncé au fusain ou si elle avait fait une boule du dessin avant de le foutre à la poubelle. Elle était trop belle, ce matin-là. J'avais du mal à pas la regarder sans arrêt. Il fallait vraiment que je sois dur comme fer.

J'étais en train d'essayer de m'intéresser aux affaires de ce monsieur Bismark quand Hans m'a posé un billet sur la cuisse. Je l'ai fermement tenu dans mon poing tant que Wagenbach matait dans ma direction. Ensuite j'ai regardé à qui je devais le transmettre ; et là, surprise, y avait écrit *Maik* dessus.

Ça faisait des années que j'avais pas reçu de billet. À part ceux que tout le monde reçoit. Où y a écrit : *Regarde pas les traces de pas sur le plafond !* Et ce genre de conneries que les sixièmes peuvent écrire.

J'ai attendu un moment avant de déplier le bout de papier. J'ai dû lire le truc cinq fois de suite – non pas que c'était méga compliqué, comme texte, y avait même que neuf mots ; mais j'ai quand même dû le lire cinq fois avant de piger. Il était écrit : *Mon Dieu, qu'est-ce qui t'est arrivé ?!? Tatiana.*

C'était surtout le dernier mot qui me bloquait un peu le ciboulot. J'ai jeté un coup d'œil autour de moi.

La probabilité que quelqu'un se foute de ma gueule était relativement grande. C'était un jeu assez prisé, à l'époque, les petits mots doux avec un faux envoyeur, où y avait écrit *je t'aime* ou une connerie du genre. Mais en général, on devinait facilement qui était le vrai envoyeur, parce qu'il vous observait en cachette.

J'ai regardé dans la direction d'où le billet était venu, là où Tatiana était effectivement assise. Personne ne m'observait, Tatiana pas plus que les autres. J'ai relu le billet pour la sixième fois. C'était bien l'écriture de Tatiana. Je la connaissais par cœur ; le A un peu rondouillet, les fioritures autour du D majuscule – j'aurais pu l'imiter parfaitement. Mais si moi je pouvais, alors c'était probable que d'autres aussi. OK, mettons que le mot vienne vraiment d'elle. Mettons que la fille qui m'avait pas invité à sa soirée veuille maintenant savoir ce qui m'est arrivé.

Wouahou. Que répondre ? En supposant que je réponde. C'est qu'il s'en était passé, des trucs ; j'aurais dû remplir des pages et des pages pour tout expliquer. D'un côté, c'est exactement ce que j'aurais adoré faire. Raconter notre voyage, nos tonneaux, les tirs de Horst Fricke. L'histoire avec le paysage lunaire, le coup des cochons, et plein d'autres trucs encore. Et comment j'ai toujours imaginé qu'elle pouvait nous voir. Mais en même temps, j'étais assez sûr qu'elle voudrait pas forcément avoir tous les détails. Son mot, ce devait plutôt être un genre de politesse. J'ai réfléchi encore un moment, et puis j'ai fini par prendre mon courage à deux mains et par écrire : *Ah, rien d'important.* Puis j'ai renvoyé le billet.

J'ai pas regardé Tatiana quand elle l'a ouvert, mais trente secondes plus tard, le billet était de nouveau là. Cette fois, y avait que sept mots : *Allez, dis-moi ! Ça m'intéresse vraiment.*

Ça l'intéressait vraiment. Cette fois, j'ai mis des plombes à rédiger la réponse. Même si au finish elle n'était guère plus longue. En secret, je voulais toujours déballer mon roman, mais sur un billet comme ça, y a pas vraiment la place. Je me suis donné un mal de chien. L'heure de cours touchait à sa fin quand j'ai écrit *Tatiana* sur le billet et que je l'ai refilé à Hans. Du coude, Hans l'a glissé vers Yasmin. Pendant un moment, Yasmin a fait comme si ça le concernait pas, puis il a fini par l'envoyer à Anja d'une chiquenaude. Anja l'a jeté sur la table d'Olaf, et Olaf, qui est con comme ses pieds, l'a balancé par-dessus l'épaule d'André juste au moment où Wagenbach était en train de se retourner.

– Oh ! a fait Wagenbach, qui a récupéré le mot sans qu'André n'y oppose la moindre résistance. Des messages secrets !

Il a montré le billet à la classe, et tout le monde a rigolé. Ils ont rigolé parce qu'ils savaient ce qui allait arriver. Et moi aussi je savais. À cet instant, j'aurais bien aimé avoir le fusil de Horst Fricke en main.

Wagenbach a sorti ses lunettes de bigleux et a déchiffré :
– *Maik – Tatiana. Tatiana – Maik.*

Il a jeté un coup d'œil vers Tatiana, puis vers moi.

– J'apprécie votre vive participation au cours. Mais si vous avez des questions concernant la politique étrangère de Bismarck, il ne faut pas hésiter à vous manifester. Vous n'êtes pas obligés d'inscrire vos questions sur des bouts de papier minuscules dans l'espoir que je tombe dessus par hasard.

C'était pas la première fois qu'il faisait cette blague. Il la faisait même à chaque fois. Mais la classe s'en foutait royalement, tout le monde trouvait ce théâtre de guignols absolument génial.

Pas la peine d'espérer qu'il en reste là. Y a des profs qui se contentent de déchirer les petits mots, qui les foutent à la poubelle, ou les mettent dans leur poche. Et puis y a Wagenbach. Et Wagenbach, c'est le plus grand trou du cul du monde. C'est le seul prof du bahut à confisquer les portables et à faire la lecture de toute la mémoire SMS. On peut chialer ou ramper à quatre pattes, Wagenbach lit tout.

Il a déplié le billet d'un geste solennel. J'espérais un miracle, genre qu'un météorite tombe du ciel et désintègre le cul de Wagenbach. Ou du moins que la cloche sonne, ça aurait suffi. Mais évidemment la cloche n'a pas sonné, et évidemment aucun météorite n'est tombé du ciel. Wagenbach a laissé son regard glisser sur l'assistance et a pris posture. Je crois qu'il aurait voulu être acteur, ou chansonnier. Sa carrière s'est arrêtée à trou du cul. En plus, si ç'avait été un billet quelconque, genre avec une connerie dessus. Mais là, c'était les premiers – et peut-être les derniers – mots sérieux que j'échangeais de toute ma vie avec Tatiana, et Wagenbach n'avait en aucun cas le droit de les déclamer à toute la classe.

– Voilà mademoiselle Cosic – Wagenbach a désigné Tatiana de son menton, genre comme si on ne la connaissait pas –, notre merveilleuse représentante de l'avant-garde littéraire, qui écrit : « Mon Dieu ! »

Il a prononcé ces deux derniers mots avec un pépiement de jeune poussin.

Énorme tabac. Ça rigolait jamais beaucoup chez Wagenbach, mais quand il faisait son one man show, alors là oui. Même si ses blagues étaient complètement nases. « Représentante de l'avant-garde littéraire », c'était le genre de blague nase qu'il pouvait sortir.

– « Mon Dieu ! Qu'est-ce qui t'est arrivé ? »

Le « salaud » que j'ai lancé à mi-voix s'est noyé dans la jubilation collective. Tatiana avait le regard rivé sur le dessus de la table. Wagenbach s'est tourné vers moi.

– Et que répond monsieur Klingenberg ?

Il a baissé le menton sur sa poitrine et a pris une voix d'ours de dessin animé, catégorie débile mental :

– « Oh. Rion d'omporton. »

La classe était pétée de rire. Même Olaf, qui avait tout merdé à cause de sa connerie, a commencé à rigoler avec les autres. Insupportable.

– Un dialogue des plus percutants. Mais mademoiselle Cosic se satisfera-t-elle de cette réponse ? Ou bien exigera-t-elle d'en savoir plus ?

Pépiement de jeune poussin : « Allez, dis-moi ! Ça m'intéresse vraiment. »

Ours de dessin animé : « Olors. Ço s'o possé comme ço. »

Wagenbach a plissé les yeux derrière ses lunettes, comme s'il n'arrivait pas à croire ce qui allait arriver. Tatiana a légèrement relevé la tête, parce qu'elle non plus ne connaissait pas encore ma réponse. Moi j'ai regardé par la fenêtre et je me suis demandé ce que Tschick aurait fait dans cette situation. Il aurait probablement pris un air imperturbable. Ça, il savait faire. Mieux que moi.

Entre-temps, Wagenbach était tellement à fond dans son numéro de cirque qu'au début, il a même pas compris ce qu'il lisait.

– « Tschock et moi on o feu on tor ovec lo voitore. On voleu oller on volochie, mo fonolemont, on o fo plosieurs tonneaux, et ovont, un tope nous o toré dossus. »

Wagenbach a un peu hésité avant de poursuivre d'une voix normale :

– « Puis course-poursuite avec les flics, hôpital, et après on s'est pris un camion qui transportait des cochons et ça m'a déchiré le mollet, mais bon, rien de grave. »

Certains riaient encore. Essentiellement les trois gus qu'avaient pas été à la soirée de Tatiana. Ceux qui m'avaient vu avec Tschick en Lada s'étaient plus ou moins tus.

– Voyez-vous ça ! Ce monsieur Klingenberg, si propre sur lui d'habitude ! Des accidents, des courses-poursuites, des échanges de tirs. Et pourquoi pas un meurtre, tant qu'on y est ? Eh non, on ne peut pas tout avoir.

Visiblement, il ne croyait pas un traître mot de ce qu'il venait de lire. C'est vrai, ça paraissait pas très crédible. Et j'étais pas super motivé pour éclairer sa lanterne.

– Ce qui me passionne le plus dans la vie trépidante de monsieur Klingenberg, ce n'est pas son esbroufe. Qu'il s'imagine s'être livré à une course-poursuite en – si je ne m'abuse – en « voiture », accompagné de monsieur Tschichatschow, soit... Non, ce qui me fascine le plus, bien évidemment, c'est son sens de la formule. Notez cette concision, cette clarté dans les descriptions ! C'était quoi, déjà, la conclusion de cette vie de grand criminel ? Ah oui : « Rion do bion grove ! »

Wagenbach a agité le billet devant les têtes de Jennifer et de Louisa, qui avaient le malheur d'être assises au premier rang.

– Rien de bien grave ! a-t-il répété en se mettant à rire.

Visiblement, ça faisait longtemps qu'il s'était pas autant amusé. Celle qui en revanche ne s'amusait pas du tout, c'était Tatiana. Ça se voyait. Et ce, pas seulement parce que c'était elle qui m'avait écrit le billet. Elle avait la vague intuition que c'était pas de l'esbroufe, cette histoire. Et elle faisait une tête en conséquence.

Jusque-là, Wagenbach s'était contenté de nous ridiculiser. Manquait encore l'humiliation. L'engueulade. L'homélie. Tout le monde le savait, tout le monde l'attendait. Mais quand Wagenbach a levé la main pour réclamer le silence, y a bizarrement pas eu de cri, pas de sermon, pas de punition. Au lieu de ça, un météorite est tombé du ciel. On a frappé à la porte.

– Entrez ! a dit Wagenbach.

Voormann, le directeur, a passé sa tête, et de son regard, il a balayé la classe d'un air grave.

– Désolé d'interrompre le cours. Les élèves Klingenberg et Tschichatschow sont-ils présents ?

– Seulement Klingenberg, a répondu Wagenbach.

Tout le monde s'est tourné vers la porte entrouverte. On devinait, un peu cachés derrière Voormann, deux types en uniforme. Des policiers balèzes, avec toute la panoplie : pistolets, menottes, et tout le bazar.

– Alors que Klingenberg nous suive, a dit Voormann.

Je me suis levé de l'air le plus nonchalant possible – pour autant qu'on puisse se lever d'un air nonchalant quand on a les genoux qui tremblent –, et j'ai jeté un dernier regard à Wagenbach. Son sourire crétin avait disparu. Il avait certes encore un peu un air d'ours de dessin animé, mais dans un vrai dessin animé on lui aurait mis deux croix à la place des yeux et un zigzag comme bouche. C'était absolument jouissif – malgré les genoux en coton. Ceci dit, ma jouissance a brusquement pris fin quand je me suis retrouvé nez à nez avec les deux flics dans le couloir.

48

De toute évidence, Voormann ne savait pas quoi dire. Les deux flics arboraient une mine imperturbable. L'un d'entre eux mâchait un chewing-gum.

– Désirez-vous vous entretenir avec lui seul à seul ? a demandé Voormann.

Celui avec le chewing-gum s'est brièvement arrêté de mâchouiller ; il a regardé Voormann d'un air étonné avant de hausser les épaules. L'air de dire : on s'en tape.

– Voulez-vous aller dans une pièce au calme ? a poursuivi Voormann.

– Ce sera bref, a dit l'autre policier. Ce n'est pas une convocation ; on est juste passés parce qu'on était de toute façon dans le coin.

Silence. Jeux de regards. Je me suis gratté derrière l'oreille.

– J'ai un rendez-vous téléphonique, a fini par dire Voormann, peu à son aise.

En partant, il a encore lancé :

– J'espère que tout va s'arranger !

Et puis ils ont commencé. Numéro un :

– Maik Klingenberg ?

– Oui.

– Nauenstrasse 45 ?

– Oui.

– Tu connais Andrej Tschichatschow ?

– Oui, c'est un ami.

– Où est-il ?

– À Bleyen. À l'internat de Bleyen.

– Au foyer ?

– Oui.

Numéro deux a fait à son collègue :

– C'est ce que je t'avais dit.

Et puis numéro un a poursuivi :

– Depuis quand ?

– Depuis le procès – peu avant. Donc depuis deux semaines environ.

– Vous êtes en contact ?

– Il s'est passé quelque chose ?

– Réponds à ma question : vous êtes en contact ?

– Non.

– Je croyais que c'était un ami.

– Oui.

– Alors ?

Mais où voulait-il en venir, à la fin ?

– Il est dans un foyer où on ne peut pas avoir de contact pendant les quatre premières semaines. Les quatre premières semaines, on coupe les gens du monde extérieur. Vous devriez le savoir.

Numéro un mâchait la bouche ouverte. Un vrai soulagement après le numéro d'ours débile mental.

– Qu'est-ce qui s'est passé ? j'ai redemandé.

– Une Lada, a répondu numéro deux, laissant le mot produire son effet. Une Lada a disparu dans la Annenstrasse.

– Kerstingsstrasse.

– Quoi ?

– Celle qu'on a volée était dans la Kerstingsstrasse.

– Annenstrasse. Avant-hier. Vieille poubelle. Court-circuit. Retrouvée cette nuit à König Wusterhausen. Complètement détruite.

Numéro un a fait faire deux tours à son chewing-gum avant de rectifier :

– Hier. Retrouvée hier. Volée avant-hier.

– C'est donc pas notre Lada ?

– Qu'est-ce que tu entends par « notre Lada » ?

– Vous savez bien.

Le chewing-gum a éclaté dans sa bouche.

– Il s'agit de la Lada Annenstrasse.

– Et qu'est-ce que j'ai à voir avec ça ?

– C'est la question.

Et là, j'ai confusément commencé à piger que Tschick et moi, on allait être tenus responsables de tous les court-circuitages de bagnoles pourries qui allaient avoir lieu à Berlin dans les cent prochaines années.

Mais pour la Annenstrasse, ça pouvait pas être moi, parce que je m'étais tapé les mongols toute la journée, et après, j'avais été à l'entraînement de foot. Et ç'a pas été dur de convaincre les flics que Tschick, depuis son foyer a huis clos, n'avait rien non plus à voir là-dedans. Bizarrement, ils avaient l'air de l'avoir su dès le départ. Numéro deux, surtout, qui répétait qu'ils voulaient simplement s'épargner une convocation, qu'ils ne faisaient que passer. Ils n'ont même pas pris de notes. J'étais presque déçu, parce qu'à cet instant, c'était la fin de l'heure, et la porte de la classe s'est ouverte sur trente paires d'yeux, ours débile mental inclus. Et ç'aurait été assez génial si les flics avaient été en train de m'étrangler avec leur matraque. Maik Klingenberg, le grand criminel. Mais ils sont juste partis après avoir pris congé.

– Puis-je vous raccompagner à votre voiture ? j'ai demandé.

Mais numéro deux a hurlé sur-le-champ :

– Tu trouves ça cool devant tes camarades, c'est ça ? Tu veux aussi avoir les menottes aux mains ou quoi ?

Et voilà, de nouveau ce truc d'adulte. Ils nous voient toujours venir. J'ai estimé que le plus cool, c'était de pas contester la chose. Mais y avait rien à faire. Je voulais pas non plus être importun. Ils avaient déjà fait suffisamment pour moi.

49

Un jour, j'ai dû aller au secrétariat récupérer une lettre. Une vraie lettre. Si j'en ai reçu trois dans ma vie, de lettres, c'est le bout du monde. Une que je me suis envoyée à moi-même – on a dû faire ça en primaire, une fois, soi-disant pour apprendre –, et puis une ou deux de ma grand-mère avant qu'elle ait Internet. La secrétaire tenait la lettre dans sa main ; j'ai vu que sur le devant, y avait un drôle de petit dessin de voiture au stylo bille, avec trois bonshommes assis dedans et des rayons tout autour, comme si la voiture était un soleil. Dessous, il était écrit :

Maik Klingenburg
Élève au collège Hagecius
Classe de 3ᵉ environ
Berlin

Un miracle que la lettre soit arrivée. Mais comme je m'appelais pas Klingenburg et qu'en sixième y avait aussi un Maik Klinger, la secrétaire voulait d'abord s'assurer que je connaisse l'expéditeur avant de me remettre la lettre.

– Andrej Tschichatschow, j'ai dit.

Car la lettre ne pouvait logiquement être que de Tschick, qui avait réussi d'une manière ou d'une autre à m'écrire malgré l'interdiction. J'étais hyper content.

– Anselm, a dit la secrétaire.

– Anselm, j'ai répété.

Je connaissais pas d'Anselm. La secrétaire m'a regardé de travers. Au bout d'un moment, j'ai fini par dire :

– Anselm Wail ?

Et là, la secrétaire m'a donné la lettre. Énorme. *Anselm Wail, depuis sa haute montagne.* J'ai tout de suite déchiré l'enveloppe pour voir qui était le vrai expéditeur. Et puis j'étais trop excité pour lire, alors j'ai remis la lettre dans l'enveloppe et je l'ai lue une fois à la maison, sur mon lit.

Ben oui : la lettre était d'Isa, bien sûr. Et j'étais trop trop content. J'étais presque aussi content que si la lettre avait été de Tschick. J'ai passé tout l'après-midi sur mon lit à me demander de qui, de Tatiana ou d'Isa, j'étais le plus amoureux. Sérieux, je savais pas.

Salut abruti. Êtes-vous arrivés jusqu'en Valachie ? Je parie que non. J'ai rendu visite à ma demi-sœur, et je peux te rendre l'argent. J'ai cassé la gueule à un chauffeur de camion et j'ai perdu ma caisse en bois. C'était chouette avec vous. J'ai trouvé dommage qu'on se soit pas embrassés.

Mais le mieux, c'était les mûres. Je suis à Berlin la semaine prochaine. Dimanche 29 à 17 heures sous l'Horloge universelle de l'Alexander Platz. À moins que tu veuilles attendre cinquante ans. Bises, Isa.

Des bruits montaient d'en bas. Un cri, un craquement. Et puis quelqu'un qui boite. Pendant un moment, j'ai pas fait attention ; je pensais que mes parents se disputaient une fois de plus. Et puis j'ai réalisé que mon père n'était pas là parce qu'il était en train de visiter un appart avec Mona.

Le raffut a redoublé. J'ai regardé par la fenêtre. Personne dans le jardin. En revanche, un fauteuil voguait quille en l'air dans la piscine. Un truc plus petit est tombé dans l'eau en éclaboussant. D'allure, un téléphone portable. Je suis descendu.

Ma mère se tenait sur le seuil de la porte de la terrasse. Elle avait de nouveau le hoquet. D'une main, elle tenait une primevère dans son pot, comme on tiendrait quelqu'un par les cheveux ; de l'autre, son verre de whisky.

– Ça fait plus d'une heure que ça dure, a-t-elle dit d'un air désespéré. Ce putain de hoquet ne veut pas s'en aller.

Elle s'est mise sur la pointe des pieds et a balancé la primevère dans la piscine.

– Tu fais quoi ? j'ai demandé.

– J'ai l'air de quoi ? J'y tiens pas, à cette merde. En plus, je devais être complètement barge, le jour où je l'ai achetée, regarde-moi ce motif.

Le coussin à carreaux rouges et verts qu'elle a brandi a aussi fini à la piscine.

– Je vais te dire une bonne chose. Mais dis-moi : est-ce qu'on a déjà parlé de choses fondamentales, toi et moi ? Je veux pas dire cette histoire de bagnole ou quoi. Je veux dire de choses vraiment fondamentales.

J'ai haussé les épaules.

– Tout ça, on s'en fout, a-t-elle dit en désignant tout alentour. Ce qui compte, c'est : est-ce que tu es heureux ? Y a que ça qui compte.

Petite pause.

– T'es amoureux ?

J'ai réfléchi.

– T'es donc amoureux, a dit ma mère. Oublie tout le reste.

Jusque-là, elle semblait complètement dégoûtée de la vie. À présent, elle semblait toujours dégoûtée, mais aussi un peu surprise.

– Alors, comme ça, t'es amoureux ? Et la fille est amoureuse de toi, elle aussi ?

J'ai secoué la tête (pour Tatiana) et haussé les épaules (pour Isa).

Ma mère s'est servi un nouveau verre et a jeté la bouteille de whisky vide dans la piscine. Elle était devenue très sérieuse. Elle m'a d'abord pris dans ses bras, avant d'arracher le câble du lecteur DVD et de le balancer dans la piscine. L'ont suivi la télécommande et la jarre avec le fuchsia dedans. Une énorme fontaine a éclaboussé au-dessus de la jarre, formant de petites vagues sur lesquelles des pétales rouges ont flotté. Des nuées de sable sombres se sont répandues au point d'impact.

– Ah, c'est merveilleux, a dit ma mère.

Et elle a éclaté en sanglots. Après, elle m'a demandé si je voulais aussi boire quelque chose, et j'ai répondu que je préférais jeter un truc dans la piscine.

– Aide-moi.

Elle est allée vers le canapé qu'on a transbahuté jusqu'à la margelle. Elle l'a esquimauté en posant ses pieds juste au-dessous de la surface de l'eau et en poussant vers le haut. Puis elle a retourné la table ronde à la verticale et elle a traversé la terrasse en décrivant un demi-cercle. La table a coulé jusqu'au fond. Après, ma mère a démonté la lampe chinoise, s'est mis l'abat-jour sur la tête tout en expédiant le pied de la lampe dans la piscine à la manière des lanceurs de poids. Télé, support de CD, petite table d'appoint.

Le premier flic a débarqué au moment où ma mère faisait sauter un bouchon de champagne et allait porter la bouteille mousseuse à la bouche. Il a tressailli, mais il s'est tout de suite détendu quand ma mère a enlevé l'abat-jour pour le saluer, tel d'Artagnan avec son chapeau à plumes. Elle tenait à peine sur ses jambes. Moi, j'étais sur la margelle, le gros fauteuil sous le bras.

– Nous avons été prévenus par les voisins, a dit le flic.

– Ces putains de salopards de la Stasi, a dit ma mère en se recoiffant de l'abat-jour.

– Habitez-vous ici ?

– Assurément. Et là, vous êtes sur mon territoire.

Et elle a disparu dans le salon pour ressortir avec une peinture à l'huile.

Le flic a raconté une histoire de voisin, de tapage et de soupçon de vandalisme, et pendant ce temps, ma mère a levé la toile au-dessus de sa tête et a commencé à voguer sur la piscine comme un deltaplane. Elle y arrivait toujours aussi bien, et elle avait fière allure. L'allure de quelqu'un pour qui y a rien de plus chouette que de voguer dans une piscine sous une peinture à l'huile. Je suis persuadé que les flics se seraient fait un plaisir de la rejoindre dans la piscine s'ils avaient pas été de service. En tous les cas, moi, je me suis laissé basculer en avant avec le fauteuil. L'eau était agréablement chaude. J'ai senti la main de ma mère chercher la mienne. On a coulé jusqu'au fond avec le fauteuil ; et de là, on a regardé la surface scintillante et chatoyante de l'eau sur laquelle les meubles flottaient comme de sombres blocs de pierre. Je me souviens d'avoir pensé : Probable qu'ils vont de nouveau m'appeler Psycho. Mais ça m'était égal. Je me suis dit qu'y avait bien pire qu'une mère alcoolique. Et que j'allais bientôt pouvoir rendre visite à Tschick dans son foyer. Puis j'ai repensé à la lettre d'Isa. À Horst Fricke et à son *Carpe diem*. À l'orage au-dessus des champs de blé. À Hanna l'infirmière, à l'odeur du lino gris. Je me suis dit que j'aurais jamais vécu tout ça sans Tschick, que ç'avait été un été génial, le meilleur été que j'aie jamais passé.

Je pensais à ça en retenant ma respiration et en regardant vers le haut à travers les bulles scintillantes et chatoyantes, vers l'autre monde dans lequel deux types en uniforme se penchaient, perplexes, au-dessus de l'eau et se concertaient en une langue muette et lointaine. J'étais vachement heureux. Le truc, c'est qu'on peut certes pas retenir éternellement sa respiration. Mais quand même assez longtemps.

« Depuis son installation dans le comté du Vomer, Samien accompagnait Bolumir presque tous les jours, à la chasse ou à la pêche. Il appréciait la bonne humeur inaltérable du petit homme et ses talents de pisteur. Il n'y avait pas un sentier, pas une grotte, pas une source dont Bolumir ignorât l'existence. Il connaissait les habitudes de tous les animaux sauvages et savait lire leurs traces. À partir d'une laisse, d'une plume ou d'une touffe de poils accrochée à un épineux, il était capable de déduire l'âge de la bête, son poids, la direction qu'elle avait prise.

À l'instar de la plupart des natifs du comté, Bolumir était court sur pattes, vêtu de braies et d'une cotte rougeâtre, assortie à sa carnation. Il portait généralement un gros bonnet et des mitaines qu'il tricotait lui-même. Le contraste avec Samien, élancé, élégant et noir de peau, était plaisant. Les deux hommes s'appréciaient et se comprenaient à demi mot. Bien que Samien restât plutôt discret sur son passé, Bolumir devinait qu'il avait traversé nombre d'épreuves. Le fait qu'il ait bourlingué à travers l'Outremonde et soit originaire des Kraspills, la plus haute chaîne de montagnes du Sarancol, forçait également son respect. »

(Extrait du chapitre 1)

« C'est mon plus lointain souvenir. L'un de mes premiers Noël, mais je n'en savais rien. Je ne savais rien à rien, je ne vivais même pas au jour le jour mais simplement au présent. Le présent. J'habitais le présent. Le temps n'existait pas encore pour moi. Mon monde se limitait à quelques visages familiers, des odeurs, des sons, la faim, le sommeil, la douleur, le chaud, le froid...

J'étais sur les genoux de ma mère. Il existe une photo de cet instant. L'image est sombre, mon visage rond de bébé n'y est éclairé que par les flammes des quatre bougies du carillon des anges, ce petit mobile sur son socle en laiton doré, au mécanisme si simple et si malin : les flammes forment des colonnes d'air chaud qui font tourner des ailettes qui, elles-mêmes, entraînent un axe supportant trois anges dans une ronde de plus en plus rapide qui permet à des petites tiges métalliques, à chaque passage, de faire tinter joyeusement des clochettes.

Mes parents avaient éteint la lumière pour mieux mettre en valeur le jeu des flammes sur le métal. Les anges s'étaient mis à tourner, sans bruit tout d'abord. Au plafond étaient apparus des reflets qui ressemblaient à la surface d'une eau précieuse. Puis un premier tintement, un autre, un autre encore, de plus en plus rapprochés. La ronde des anges avait atteint sa vitesse de croisière et le son des clochettes était devenu régulier. *Ding, ding, ding...* Fine chevauchée dans les aigus, promesse d'une magie à venir, d'une douceur qui tient en haleine, d'une beauté simple, poétique et fragile de la vie.

Et mon regard, ce réveillon-là, avait glissé des anges au visage de ma sœur de l'autre côté de la table. Alix, attentive, immobile, aussi transportée que moi, bouche ronde entrouverte et dans les yeux brillants une danse d'or et de lumières. »

(Extrait du chapitre 1)

Fuir les taliban, André Boesberg
traduit du néerlandais par **Emmanuèle Sandron**

« Des vautours se laissent porter dans le ciel bleu par les courants ascendants. L'ombre des montagnes se profile au loin. J'essaie de maîtriser ma respiration, de ne pas penser. Il pèse un tel silence sur le stade ! Difficile d'imaginer qu'avant, on jouait au football, ici. J'essuie mon front en sueur du revers de la main. Je me lèche les doigts, pour le sel, aussi précieux en été que le bois en hiver.

Regard furtif vers Obaïd. Il a les yeux fixés sur un point devant lui, le visage impénétrable, les mâchoires serrées. Si mes parents et Taya, ma sœur, savaient que je suis ici ! Mais ils l'ignorent, et je ne veux pas qu'ils l'apprennent. Je sens qu'il va se passer tant de choses cet après-midi. Des choses dont je n'ai encore qu'une vague idée. Des choses que je voudrai effacer le plus vite possible de ma mémoire.

"Le mieux, c'est d'oublier", dit toujours Obaïd.

Il sait de quoi il parle, il en a déjà vu beaucoup plus que moi. »

(Extrait du chapitre 1)

Candor, Pam Bachorz
traduit de l'anglais (États-Unis) par **Valérie Dayre**

« *KA-TCHUNK, KA-TCHUNK, KA-TCHUNK.*

Le son arrive par la fenêtre de ma chambre. Il perturbe ma concentration. Non qu'il soit fort, mais il est impossible de l'ignorer. Ce n'est pas un bruit d'ici.

Ka-tchunk, ka-tchunk, ka-tchunk.

Candor est la même chaque soir. On y entend le chuintement de l'arrosage automatique. Le cri perçant des grenouilles des marais. Le bourdonnement de la camionnette anti-moustiques qui fait le tour de chaque pâté de maisons.

Ce bruit-là ne fait pas partie du programme.

Ka-tchunk, ka-tchunk, ka-tchunk.

Il devient plus fort à présent. Je recule ma chaise à roulettes de mon bureau et me lève. J'ai le temps d'une brève expédition dehors. Mon travail scolaire peut attendre cinq minutes. Ou plus, s'il s'agit d'un truc intéressant.

Mais l'un des Messages de P'pa jaillit dans mon cerveau. *Les études sont la clé du succès.* Ça m'immobilise net, mes pieds pèsent une tonne. Je n'irai nulle part. »

(Extrait du chapitre 1)

Rien qu'un jour de plus dans la vie d'un pauvre fou, Jean-Paul Nozière

« – Tu surveilles Élise une petite heure, mon grand ? Le temps d'une ou deux courses dans le quartier.

Je déteste que maman m'appelle "mon grand". J'ai dix-sept ans. C'est ridicule. Surtout quand elle parle aussi fort, ameutant les autres personnes assises sur les bancs du parc Émile-Zola. Une façon de clamer : "C'est mon fils ! Il est beau, n'est-ce pas ? Et gentil à un point, si vous saviez !" Si je suis dans les parages, maman ne peut pas s'empêcher de débiter ces niaiseries à quiconque discute avec elle plus de trois minutes.

Mais là, nous sommes au parc alors que j'aimerais être sur la plage. Et je déteste surveiller ma sœur. Je ne suis pas si gentil que maman le dit. Obéissant, plutôt. Élise a trois ans. Un bébé. J'aurai l'air de quoi à pinailler autour des bacs à sable et des toboggans, pendant que ma sœur se fera tirer les cheveux par des têtes à claques ou tirera ceux des têtes à claques ? »

(Extrait du chapitre 1)

Samien le voyage vers l'outremonde, Colin Thibert

« Lorsque Samien se réveilla, la dernière lune avait quitté le ciel et, quelque part, un oiseau chantait pour saluer le lever du soleil. Il se sentait bien, n'avait plus mal nulle part et l'araignée bavarde de son cauchemar s'était évaporée avec le jour. Il quitta son abri et ôta sa chemise : la boursouflure rosâtre qui marquait son épaule droite, là où la mèche du fouet de Barthélemy l'avait entaillée, avait entièrement disparu. La peau était lisse, noire et luisante. Il se déshabilla entièrement : son corps ne portait plus la moindre trace, hormis, sur un genou, la cicatrice d'une chute ancienne. Devait-il cette guérison expresse à l'oxémie ? »

(Extrait du chapitre 3)

Des étoiles au plafond, Johanna Thydell
traduit du suédois par Agneta Ségol

« J'ai quelque chose à te dire, Jenna.

C'est exactement ces mots-là qu'elle a employés. Et avec cette voix-là. Sa voix d'adulte. Jenna se tenait dans l'embrasure de la porte de la chambre de maman, son doudou Ragnar coincé sous le bras. Maman était allongée sur le lit, enveloppée d'une couverture pleine de bouloches. Elle avait l'air grave.

J'ai quelque chose à te dire.

C'est exactement ces mots-là qu'elle a employés, et Jenna a répondu quoi ? ou peut-être alors dis ! ou peut-être autre chose, elle ne s'en souvient pas. Il y a si longtemps.

Il y a sept ans, quatre mois et seize jours.

Les lattes du parquet grinçaient quand Jenna a enfin osé poser ses chaussettes Mickey par terre. Sur la pointe des pieds, elle s'est avancée jusqu'au lit de maman et s'est assise sur le bord moelleux. Maman a pris la main de Jenna. Il neigeait dehors. Les flocons se brisaient contre le carreau. Jenna se demandait si ça leur faisait mal.

Jenna, a dit maman en captant le regard de Jenna qui s'était un peu perdu dans la grande chambre, Jenna, tu m'écoutes ? »

(Extrait du chapitre 1)

La Maison du pont, Aidan Chambers
traduit de l'anglais (Grande-Bretagne) par Élodie Leplat

« Adam surgit devant moi comme un fantôme. Un instant, je crois qu'il en est un. Puis, comme souvent par la suite, il transforme son apparition en jeu. Il fait semblant d'être un fantôme, mais seulement quand il découvre qu'il s'est trompé.

Alors qu'il cherche un endroit où squatter pour la nuit, il tombe sur la petite maison octogonale à côté du pont, pas de lumière, ça a l'air vide, mort, et il se dit que c'est son jour de chance. Il ne sait pas que je me trouve à l'intérieur ; en plus, c'est Halloween.

Il force la porte, doucement. Ça ne lui pose aucun problème. La serrure est vieille et fragile, il est costaud. Même s'il n'est pas grand – petit, souple – on a parfois l'impression qu'il a les muscles d'un homme vigoureux, ce qui participe de sa face cachée, de son mystère.

Il force la serrure si doucement que je ne me réveille pas. Cela fait trois mois que j'habite dans la vieille maison du péage et je dors bien, ce qui n'était pas le cas lorsque l'endroit m'était encore étranger et que je n'avais pas l'habitude d'être seul. »

(Extrait du chapitre 1)

En attendant New York, Mitali Perkins
traduit de l'anglais (États-Unis) par Valérie Dayre

« Par la vitre baissée, Asha et Reet pressaient les mains de leur père. Le train se mit lentement en mouvement, prit de la vitesse. Baba dut courir. Quand ses doigts échappèrent à leur étreinte, les filles se penchèrent davantage pour le voir s'effacer puis disparaître dans la brume de Delhi.

– Attention ta tête, Osh ! s'écria brusquement Reet en tirant sa sœur vers l'intérieur du compartiment.

Le train s'engouffrait dans un tunnel, il bringuebala violemment et, dans l'obscurité, Asha se cramponna au bras de sa sœur. En temps ordinaire, leur mère l'eût mise en garde bien avant Reet. Mais parfois Ma était prisonnière des griffes du Geôlier – ainsi les filles nommaient-elles la pesante mélancolie qui souvent tombait sur elle tel un linceul. Était-elle déjà partie si loin que même la crainte de voir sa fille décapitée ne pouvait la tirer de sa torpeur ?

Lorsque le train sortit en ahanant du tunnel, Asha eut peine à croire à ce qu'elle voyait. Leur mère avait enfoui son visage dans ses mains, et des larmes – de vraies larmes, mouillées, salées – striaient de larges sillons brunâtres ses joues poudrées.

Que se passait-il ? Il devait y avoir une erreur – il était impossible que Sumitra Gupta puisse pleurer. Les filles avaient maintes fois vu leur père ému aux larmes, même quand Ma ou Reet chantait la pluie, le chagrin ou les peines de cœur. Mais leur mère ne pleurait jamais, se retirant plutôt dans un silence froid qui pouvait durer des heures, des jours, des semaines. Jusqu'à des mois, comme après l'arrivée du télégramme lui annonçant la mort de sa mère. »

(Extrait du chapitre 1)

All *together*, Edward van de Vendel
traduit du néerlandais par **Emmanuèle Sandron**

« L'été dernier, ma vie a franchi le mur du son. Six mois se sont écoulés depuis août, mais elle reste marquée par ce clivage entre l'avant et l'après. Avant, j'étais un gars insignifiant de dix-huit ans ; aujourd'hui, je suis dévoré par un amour fou. Avant, je vivais dans mes rêves ; aujourd'hui, j'arbore un tatouage : un petit avion sur le bras qui, jour après jour, raconte mon départ pour l'Amérique, ma découverte de la Norvège et puis mon retour aux Pays-Bas. Autrement dit : mon voyage avec Oliver, mon voyage vers Oliver, mon voyage loin d'Oliver.

Avant, j'habitais chez mes parents ; aujourd'hui, je vis dans une coloc à Rotterdam. Avant, je préparais mon bac comme un imbécile ; aujourd'hui, je suis inscrit à l'École nationale de création littéraire. Avant, je papotais à la table de la cuisine avec ma mère ; aujourd'hui, je discute avec Vonda. Et avec Vonda, ma vie a franchi un deuxième mur du son. »

(Extrait du chapitre 1)

Cet ouvrage a été achevé d'imprimer sur Roto-Page en Valachie
pour le compte des éditions Thierry Magnier
par l'Imprimerie Floch à Mayenne en février 2012
Dépôt légal : mai 2012
N° d'impression : 81846
Imprimé en France